JEANNE, FILLE DU ROY

Suzanne Martel

JEANNE, FILLE DU ROY

Grandes histoires

À Suzanne et Luc,
qui auraient pu être
Jeanne et Simon

Données de ... *(Canada)*

ISBN

1. Filles du roi (Histoire du

2. Canada - Histoire - 1663-1713 (N

I.

II. Coll

PS8526.A726J42 1999   C843'.54

PS9526.A726J42 1999   PQ3919.2.M37J4

Dépôt légal: 4ᵉ trimestre 1999

Bibliothèque nationale du Québec.

© Éditions Fides, 1999.

Les Éditions Fides remercient le ministère du Patrimoine canadien
du soutien qui leur est accordé dans le cadre du Programme d'aide
au développement de l'industrie de l'édition. Les Éditions Fides remercient
également le Conseil des Arts du Canada et la Société de développement
des entreprises culturelles du Québec (SODEC).

IMPRIMÉ AU CANADA en Septembre 2003

1

«Fille du Roy! Je suis fille du Roy!» Refermant sans bruit, comme on le lui a enseigné, la porte du parloir, Jeanne répète la formule magique qui vient de changer sa vie. Son cœur bat à tout rompre. À deux mains, elle compresse sa poitrine pendant qu'un sourire involontaire détend sa figure mince.

Dans le parloir sombre, aux rangées de chaises bien droites et inhospitalières, la supérieure, Mère de Chablais, de son côté, pousse un soupir de soulagement. Assise en face d'elle, sa visiteuse, Marguerite Bourgeoys, la regarde avec indulgence. Perspicace, elle a deviné les pensées si différentes qui bouillonnaient dans le cœur de la religieuse et dans celui de son élève. Jeanne Chatel, dans l'ardeur de ses dix-huit ans, frémissait de joie sous ses airs soumis et réservés.

— Mais oui, Madame. Si ma mère de Chablais m'y autorise, je partirai pour la Nouvelle-France. Non, Madame.

Je n'ai pas de craintes. Je suis forte et le risque ne me fait pas peur.

«Pas aussi peur que la perspective d'une vie au couvent, avait conclu Marguerite Bourgeoys en son for intérieur. Voilà une hirondelle qui n'appréciait pas beaucoup sa cage et à qui je rends la liberté.»

Voilà enfin réglé le sort de cette pauvre orpheline dont la présence bruyante et prolongée dérange le rythme placide de la vie monastique. Le Roy fournira la dot, le couvent fournira la pupille, et la colonie lointaine s'enrichira d'une nouvelle épouse. Chacun se réjouira, et Mère de Chablais plus que tous, car elle pourra enfin se consacrer tout entière à l'éducation de sujets plus dociles.

Jeanne Chatel, en un mot, c'est l'épreuve des Filles de la Congrégation. Elle leur est arrivée à l'âge de dix ans, petite et sous-alimentée, presque sauvage, et en révolte ouverte contre tout l'univers.

Élevée dans une maison en ruine par un grand-père solitaire et un peu braconnier, la petite fille avait perdu en même temps le protecteur qu'elle adorait et la liberté farouche dans laquelle elle avait grandi.

Pendant deux jours elle s'était réfugiée au fond d'un placard, comme une bête blessée, et ni les supplications des religieuses compatissantes, ni les menaces de la supérieure indignée ne l'avaient fait sortir de son refuge.

Finalement, mettant tout le monde à la porte, une vieille sœur avait pris la situation en main. Armée de patience et d'un pâté aux pommes qui embaumait, la cuisinière du couvent, sœur Berthelet, s'était assise devant le refuge de l'embusquée et avait attendu avec la ténacité d'un chasseur à l'affût.

Bientôt, un léger glissement et un soupir de convoitise récompensèrent sa persévérance. Une tête brune qui n'avait jamais connu de peigne surgit dans l'embrasure. Une main sale et pitoyablement maigre s'était tendue vers l'assiette tentatrice. Sans un mot, la religieuse avait offert le pâté et l'affamée l'avait dévoré, accroupie aux pieds de sa protectrice. Celle-ci caressait d'une main rassurante les cheveux emmêlés, et murmurait des phrases réconfortantes.

Jeanne déposa l'assiette vide sur le plancher, et leva des yeux craintifs. Elle lut tant de compassion dans la figure ridée qu'elle se jeta avec un cri de désespoir dans les bras tendus, et pour la première fois depuis la mort de son grand-père, l'orpheline éclata en sanglots.

Mère de Chablais retrouva sa nouvelle protégée endormie dans les bras de sœur Berthelet. Ses joues sales traversées par des sillons de larmes, sa main agrippée convulsivement à la cornette toute froissée, Jeanne était encore secouée de soupirs.

— C'est un pauvre petit oiseau malheureux, avait expliqué la vieille. Elle va trouver dure la vie au couvent.

— Il faudra pourtant qu'elle s'y fasse, ma sœur. C'est le sort de toutes les orphelines.

L'amitié qui unissait la fillette farouche et la femme courbée par l'âge avait adouci la période difficile de l'adaptation à l'existence rangée du pensionnat. Toute la communauté s'était mise à la tâche «d'apprivoiser» Jeanne Chatel.

Cela n'alla pas sans heurts, sans colères homériques et sans protestations véhémentes. La révoltée ne comprenait pas la nécessité de brosser ses cheveux, de se laver les mains, de faire la révérence.

Si l'éducation de Jeanne avait présenté des problèmes, son instruction apporta des surprises. La fillette lisait couramment et écrivait avec la maîtrise d'un clerc. Au cours des longues soirées d'hiver, au coin de l'âtre, dans la grande salle obscure, seul vestige de ce qui avait été jadis la belle demeure familiale, l'aïeul érudit s'était plu à transmettre sa science à cette enfant intelligente et éveillée. Les poètes grecs et latins, les classiques de l'époque, l'histoire universelle, les éléments de calcul, tout cela avait été absorbé pêle-mêle et formait un pot-pourri étonnant et un peu inquiétant.

Par contre, une ignorance complète du petit catéchisme, des prières élémentaires et de la signification des offices religieux avait fourni aux religieuses scandalisées un vaste champ d'action salvatrice.

Pendant huit années, à force de patience, de bonté et de fermeté, et grâce à la psychologie inconsciente de sœur Berthelet, on arriva à faire de la sauvageonne une élève très présentable, en apparence. Hélas! Le vernis était mince, et le tempérament bouillant, héritage d'un aïeul vindicatif, était toujours en veilleuse sous les airs conciliants.

L'orpheline n'avait d'autre foyer que le couvent qui l'avait hébergée, d'autre famille que les religieuses et d'autre avenir que l'entrée en communauté. Elle n'avait encore pu se résigner à cet engagement définitif, sort normal des filles sans dot. L'absence de cette vocation qu'elle se reprochait comme un tort lui semblait une grande injustice.

Ses amies Geneviève, Anne et Marie, sereines et effacées, glissaient sans heurt vers la vie religieuse. Pourquoi ce sentiment de révolte, ce goût d'évasion, lorsque par-dessus le mur gris de la communauté, elle voyait fumer les cheminées paisibles de la petite ville de Troyes? Quelques-unes de ses compagnes s'échapperaient pour épouser un lointain cousin, un veuf chargé d'enfants ou un vieillard cossu pour qui la fraîcheur des dix-huit ans remplacerait la dot.

Même ce triste choix ne lui était pas offert, car il faut bien l'avouer, aux yeux des religieuses, son éducation était un fiasco. On ne pouvait vraiment la recommander comme épouse modèle. Elle brûlait la pâte, oubliait de mettre sa coiffe, galopait à travers les corridors, bondissait dans les escaliers, et son étourderie proverbiale n'était même pas compensée par une douceur de bon aloi.

Toujours appuyée à la porte du parloir, Jeanne rêvait, tout éveillée. Comme elle avait eu raison d'espérer, de croire que malgré tout, la vie lui réservait des joies et des surprises! Maintenant seulement, Jeanne osait s'avouer quel espoir tenace l'avait empêchée de céder à toutes les pressions et lui avait fait remettre d'une saison à l'autre son inévitable entrée au couvent. Jamais vocation n'avait été aussi peu spontanée.

Lorsque sa protectrice, sœur Berthelet, était morte, doucement, un matin d'été de l'année précédente, Jeanne avait eu l'impression de perdre son grand-père encore une fois. Depuis ce jour, personne n'avait considéré sa gaieté bruyante et son entrain comme des qualités. Au contraire, on lui en tenait grief. Comme de son buste trop provoquant et de ses cheveux indisciplinés qui s'échappaient en frisant de son bonnet sévère. Tant de vitalité effrayait un peu les religieuses qui avaient justement fui ces excès en se réfugiant au couvent. Jeanne s'efforçait à la pondération, espérant en être un jour pénétrée.

Mais maintenant, tout cela était du passé. Quel glorieux avenir s'ouvrait devant l'orpheline! Les mises en garde de sœur Bourgeoys n'avaient même pas atteint ses oreilles bourdonnantes.

Déjà elle voyait l'*Aventure*, un grand voilier, la mer infinie, un continent magnifique, primitif, une colonie vigoureuse qui n'attendait que Jeanne Chatel pour prospérer et passer à l'action. Elle aurait tous les courages, toutes les audaces, comme les preux chevaliers des quelques romans de la bibliothèque de son grand-père.

La jeune fille n'avait qu'un regret. Hélas! plus jamais son preux chevalier personnel, le beau Thierry de Villebrand, ne pourrait la retrouver pour l'emporter sur son grand cheval blanc.

Avec toute la sagesse de ses dix-huit ans, Jeanne devait bien admettre que, sachant où elle était, il y a belle lurette que son héros aurait pu venir la quérir. Et leur dernière rencontre, lorsqu'elle avait dix ans et avait osé lui jeter une poignée de moutarde dans les yeux, ne s'était guère prêtée aux effusions sentimentales. Bah! au diable les fantaisies, et vive la belle réalité d'aujourd'hui! Au lieu du personnage imaginaire qu'elle avait créé, pour peupler ses rêves de jeunesse, en s'inspirant de deux rencontres rapides avec un beau garçon, elle aurait un mari bien à elle, un époux qui l'attendait à l'instant même, sur la côte lointaine de la Nouvelle-France.

— Fille du Roy. Je suis Fille du Roy.

Contre toutes les lois de la bienséance, la jeune fille ramasse ses jupes à deux mains et gravit quatre à quatre les longs escaliers du couvent qui mènent jusqu'aux combles. Elle fait irruption dans la mansarde qu'elle partage avec trois autres orphelines, en brandissant un papier.

— Mesdemoiselles, je suis une fille du Roy en route pour la Nouvelle-France. Voici la liste du trousseau qu'il nous faut préparer pour mon départ au mois de juin. Mesdemoiselles, faites-moi une révérence, puis à l'ouvrage.

Anne et Geneviève abandonnent la dentelle qu'elles crochetaient près de la fenêtre à la lumière incertaine du jour tombant.

Plus jeunes que leur compagne de chambre, les deux orphelines éprouvent pour elle une admiration mêlée de crainte devant ses audaces.

Elles entourent Jeanne, l'accablant de mille questions.

— C'est donc pour cela qu'on te voulait au parloir, et non à cause des pains que tu as oubliés dans le four?

— Bah! Que compte un misérable pain, pour une pupille de Louis XIV? Ne me parlez plus de ces petits problèmes terre à terre.

— Mais, Jeanne, ne sommes-nous pas toutes des filles du Roy? L'es-tu plus que nous?

Depuis toujours, on rappelle aux orphelines, élevées aux frais de l'État, leur statut privilégié de protégées de la Couronne. La façon dont Jeanne s'accapare de ce titre, comme s'il lui était tout à coup exclusif, intrigue Anne. Dans sa naïveté, elle voit déjà son amie à Versailles, parmi les dames d'honneur.

— Je veux dire que notre gracieux souverain me fournira une dot, et un trousseau dans un grand coffre, et qu'il va m'envoyer en Nouvelle-France pour épouser un de ses loyaux sujets là-bas.

— Tu nous quittes? Tu iras dans ces pays lointains?

Anne, atterrée, pleure déjà son départ. Geneviève, pratique, consulte la liste:

— Deux coiffes de dentelle, six cornettes de toile, une jupe de ferandine bleue, une jupe de serge, deux chemises de toile blanche, deux paires de bas blancs, une camisole de ratine, un corps piqué, six mouchoirs de coton, des gants de mouton. C'est beaucoup plus que pour entrer au couvent!

— Évidemment. Jeanne pirouette, les bras en l'air, la jupe au vent. Je traverserai l'océan, j'irai au bout du monde. Imaginez: il paraît qu'en hiver, on ne voit que de la neige à des lieues à la ronde. Sœur Marguerite Bourgeoys, l'amie de Mère de Chablais, nous accompagnera jusqu'à Ville-Marie où elle a une école.

— Qui épouseras-tu? s'inquiète Anne.

— Probablement un militaire, peut-être un capitaine.

— Où vivras-tu?

— N'importe où, à part dans un couvent! À la ville ou au fort de la garnison. Je devrai peut-être accompagner mon mari à la cour du Gouverneur.

Geneviève, toujours réaliste, suggère:

— Et si ton mari est un fermier?

— Eh bien! Nous aurons des vaches et des poules, et je recevrai tous les voisins.

Rien ne peut abattre l'optimisme de Jeanne.

Timidement, Anne demande:

— Et le seigneur de Villebrand que tu attends depuis huit ans, que dira-t-il de ton départ?

Jeanne tient ses compagnes en haleine avec les récits échevelés de ses aventures avec le beau Thierry qui a pris substance d'un récit à l'autre, si bien que maintenant, toutes ses confidentes y croient. Elle répond avec désinvolture:

— Il n'avait qu'à venir avant. On peut attendre un cheval blanc pendant huit ans. Plus que ça, cela devient exagéré.

— Ah! Je croyais que c'était le seigneur que tu attendais, pas le cheval, taquine Geneviève, qui va regretter elle aussi les histoires passionnées de leur compagne.

Un coup discret frappé à la porte interrompt la conversation des trois amies. Marie du Voyer, la quatrième occupante de la chambre, se tient dans l'embrasure, blonde et rougissante, une lettre pressée contre son cœur.

— Jeanne, je partirai moi aussi avec les filles du Roy et... elle tend d'une main tremblante une enveloppe à son amie, j'ai reçu une demande en mariage.

La missive froissée et jaunie, vieille d'un an déjà, a fait beaucoup de chemin. Elle vient du sieur Simon de Rouville, vague parent de son père, établi à Ville-Marie et dont la femme et un fils ont été tués par les Iroquois. Il lui reste deux enfants en bas âge, et il se souvient de la fille de son cousin, orpheline et pauvre. Viendrait-elle en Nouvelle-France pour devenir son épouse?

— Mais, objecte Anne, je croyais que tu voulais entrer au couvent...

Marie murmure:

— Notre mère pense comme moi que mon devoir est là-bas.

Jeanne remet la lettre dans l'enveloppe en se disant: «Encore une autre dont la vocation était nécessité. Pauvre petite, comme ce n'est pas romantique. Ce qu'il veut, le sieur de Rouville, c'est une gouvernante, et il ne s'en cache pas.»

Et dans son imagination galopante, elle voit son avenir à elle tellement imprévu: le beau militaire qui commandera un détachement sur le quai au débarquement du bateau; leurs regards se croiseront... se comprendront. Ou le galant seigneur qui lui offrira l'eau bénite après l'office. Leurs regards se croiseront... ce sera lui. Qu'importe, Jeanne ne sait, ne veut savoir qu'une chose: la porte de sa prison s'ouvre, la grande ouverture commence.

2

Ce soir-là, comme d'habitude, les prières récitées et la chandelle soufflée, les conciliabules commencent dans la mansarde. Un rayon de lune argente les quatre lits étroits rangés côte à côte.

Jeanne, drapée dans sa robe de nuit volumineuse, s'approche de la fenêtre. Comme elle aime le calme de la nuit, cette orpheline qui garde au fond d'elle-même la nostalgie de sa jeunesse presque sauvage.

C'est par des soirs de lune comme celui-ci, que son grand-père l'amenait courir les bois du seigneur de Villebrand et y tendre des collets. Avec lui, elle a appris à ne pas craindre les bruissements nocturnes de la forêt, à se glisser comme une ombre entre les arbres mystérieux. L'érudit expliquait le système solaire, la rotation de la terre et le nom des étoiles.

Avant l'aube, ils revenaient par les sentiers obscurs, la main dans la main, le fruit de leur larcin enfoui dans la gibecière. L'aïeul, de sa belle voix grave, récitait un poème de Villon ou une ode d'Horace. Par la magie rassurante de sa présence, la nuit devenait un refuge amical. La maison en ruine, à demi calcinée, que les habitants du voisinage prétendaient hantée et évitaient avec crainte, était, par la même magie de leur amour réciproque, un foyer heureux, le seul que Jeanne ait connu. Sa mère était morte à sa naissance et son père un mois après. Honoré Chatel avait recueilli sa petite-fille, l'enfant de son fils unique, et l'avait amenée dans sa tanière, tout ce qui restait d'un domaine autrefois prospère, attenant aux terres du seigneur de Villebrand.

La famille Chatel, de petite noblesse, avait été déshonorée et ruinée par un ancêtre tombé en disgrâce auprès d'un roi rancunier. Les calomnies d'un voisin jaloux et puissant, un comte de Villebrand, avaient été à l'origine de ce désastre. Petit à petit, les terres, puis les biens personnels, les bijoux, les livres, les meubles, tout avait été vendu. Finalement, un incendie avait détruit la maison, dont seul le grand salon avait été épargné. C'est dans ce cadre lugubre que Jeanne avait grandi, connaissant la faim et le froid, mais entourée d'amour. Elle avait vécu une existence étrange, partagée entre les dures réalités de la vie et le monde fantaisiste et imaginaire que son grand-père recréait pour elle par ses récits et ses livres.

Jeanne avait fait la même chose pour ses amies, apportant la seule fantaisie dans leur vie monotone et rangée, évoquant pour elles les heures magiques et les légendes qui avaient enchanté sa jeunesse.

Ce soir où elles venaient d'apprendre son prochain départ, ses amies, comme pour se rassurer, réclamaient, comme elles le faisaient souvent, qu'on leur «raconte Thierry».

Parfois, Jeanne refusait, les régalant plutôt de récits de chevalerie puisés à même son répertoire varié, ou des aventures passionnantes des dieux de la mythologie grecque.

Mais la lune brillait dans le ciel de Troyes, Jeanne avait l'âme en fête, et elle consentit à se lancer dans sa plus belle histoire, celle qui était presque vraie.

— Ce sera la dernière fois que je vous la raconterai, car maintenant, nous connaissons la fin, et ce ne sera pas celle dont nous avions rêvé.

Marie, Anne et Geneviève retiennent leur souffle, pendant que leur amie se recueille. D'une voix basse, pleine de mystère, Jeanne commence:

— Lorsque je montais tout en haut du grand chêne, je voyais les tours du château de Villebrand. Je savais que là vivait le seigneur dont le grand-père avait ruiné mon ancêtre. Et je me disais qu'un jour, je serais la comtesse de Villebrand, et que je vengerais ma famille.

Les amies de la conteuse frissonnent délicieusement.

— Losque j'avais huit ans, un jour, je suis allée voler des noisettes dans la partie du parc qui était proche de notre maison. Pour cela, je devais sauter par-dessus un vieux mur de pierres surmonté de piquets de fer.

— De quelle hauteur était le mur? questionne Geneviève qui le sait depuis des années et le redemande chaque fois.

— Plus haut que celui du couvent. Trop haut pour être franchi aisément. Je devais escalader un arbre dont les branches longeaient le faîte du mur. De là, je me laissais glisser au bout de mes bras, puis je sautais à terre et je roulais.

Les orphelines à qui on interdisait de franchir deux marches d'escalier à la fois, admiraient sans réserve cette audace de la conteuse.

— Tu n'avais pas peur? interroge la timide Anne, pour la centième fois.

— Mais non. Je faisais cela depuis l'âge de six ans.

Jeanne est patiente avec les interruptions: pour ses compagnes, elles font partie du récit. La jeune fille continue:

— Cette fois-là, j'ai voulu sauter trop vite. Je suis restée accrochée par ma jupe à un des piquets du sommet. J'étais suspendue comme un cadre au mur, et je me débattais pour remonter lorsque j'ai entendu des aboiements féroces qui se rapprochaient. Je savais qu'il y avait des chiens de garde à Villebrand, mais ils ne s'éloignaient jamais du château, et je ne les avais jamais vus près du mur.

— Tu avais peur? Marie tremble de sympathie.

— J'avais surtout peur d'être surprise. C'est très grave de s'introduire dans un parc sans permission. Avant que je ne parvienne à me décrocher, deux grands chiens furieux ont surgi du bois et se sont jetés sur moi en grondant.

Jeanne se revoit, pliant les genoux, agitant les pieds pour échapper aux crocs menaçants, tentant désespérément de mettre sa main dans sa poche.

— Pourquoi? halète Geneviève pour qui ce geste semble le comble du sang-froid. Que cherchais-tu dans ta poche?

— Le sac de poudre de moutarde que grand-père me faisait toujours apporter pour me protéger contre les vilains ou les bêtes sauvages.

Rien ne paraissait plus aventureux aux auditrices pantelantes que cette nécessité d'être armée, à huit ans, contre des dangers aussi redoutables.

— Aurais-tu vraiment lancé la moutarde au nez des chiens?

— Je pense bien. D'autant plus que l'un d'eux venait de me déchirer le mollet avec sa griffe. J'étais terrifiée. Je me croyais perdue.

— Et à ce moment... suggère Geneviève, les yeux ronds.

— À ce moment, j'ai entendu le galop d'un cheval. Une voix a lancé un appel bref: «Sultan, Dragon, ici.» Les chiens se sont retournés et ils ont filé vers leur maître, la queue entre les pattes.

— Et toi?

— Moi, j'étais toujours suspendue par ma vieille jupe qui aurait dû déchirer mais qui ne lâchait pas. Le sang coulait le long de mon pied.

C'est le beau moment du récit, celui qui fait battre les cœurs romanesques.

— Alors, il s'est avancé vers moi. Thierry de Villebrand, le fils du comte, est venu à mon secours.

— Sur son grand cheval blanc?

— Sur son grand cheval de chasse. Il s'est approché du mur et m'a examinée longuement.

— Il était beau? soupire Anne.

— Beau comme la statue de saint Michel, dans la chapelle. Grand, blond, bronzé, vêtu de daim et botté de cuir, son fusil de chasse sur l'épaule.

— Il était vieux?

Cette question est essentielle au récit. Jeanne l'attendait pour continuer.

— Pour moi, il paraissait vieux. Il avait quinze ans.

— Qu'est-ce qu'il a fait?

— Il a dit d'une voix moqueuse: «Il n'y a pas que les bécasses que l'on attrape au filet.»

Cette remarque peu romantique prouve cependant que les nobles ne sont jamais pris au dépourvu.

— Et qu'as-tu répondu?

— Que voulais-tu que je dise? J'attendais, pendue comme une sotte, et lui riait toujours. Il avait des dents très blanches et des yeux bleus comme le ciel.

Trois soupirs déchirent le silence.

Ici, le récit plaisait moins, mais ce n'était qu'un mauvais moment à passer. Il semblait aux auditrices, que l'héroïne n'avait pas été fidèle à son rôle. Mais il ne fallait pas oublier que l'héroïne était Jeanne Chatel, peu reconnue pour sa patience.

— Je me suis fâchée de le voir là, si fat sur son cheval. J'ai crié: «Si c'est pour me regarder que vous êtes ici, vous pouvez repartir. Je ne ferai rien de plus.»

Est-ce là la façon de parler à un beau chevalier?

— Il a été insulté?

— Non. Mais il a cessé de rire, et a demandé. «T'es-tu fait mal?»

J'ai dit: «Non, mais vos chiens m'ont blessée.»

Il a vu ma jambe déchirée. Aussitôt, il a approché son cheval tout près du mur, s'est levé sur ses étriers et m'a prise sous les bras. Il essayait de décrocher ma jupe, mais son cheval piaffait, et il ne réussissait pas. Elle était solide, ma vieille jupe.

— Qu'a-t-il fait? souffle Anne, éperdue.

— Il a sorti son poignard de sa botte et a murmuré: «Tant pis.» Et il a fendu le tissu jusqu'en haut et m'a libérée.

— Tu es tombée à terre?

— Non. Il me tenait solidement. Je n'étais pas bien grande. N'oubliez pas que je n'avais que huit ans.

Elles l'avaient oublié, hélas!

— Il m'a assise devant lui sur son cheval et m'a dit: «Je vais te reconduire chez toi. Tu ne peux marcher avec cette jambe.» Puis il a sorti un grand mouchoir blanc de sa poche, l'a plié et, en se penchant, il en a entouré mon mollet qui saignait et me faisait très mal.

Ensuite, il a mis son cheval au pas, et a demandé: «Où demeures-tu? Au village?»

J'ai dit: «Non. Je suis Jeanne Chatel. Je demeure tout près du parc, de l'autre côté du mur.»

Comme ce n'était pas sa famille qui était ruinée, il avait oublié l'histoire des ancêtres. Il a dit seulement: «Moi, je suis Thierry de Villebrand». Il a ajouté: «Ainsi, tu es la petite-fille du vieux reclus?»

Je ne savais pas ce que ce mot voulait dire et l'expression m'a paru blessante. J'ai riposté:

— Mon grand-père est un honnête homme.

Il a répondu en se moquant:

— Aussi honnête que sa petite-fille qui saute les murs pour voler des pommes.

J'étais furieuse. Sans réfléchir, j'ai répondu:

— Je ne voulais pas de pommes. C'était des noisettes que je cherchais. Il n'y a pas de pommes près d'ici.

Il a bien ri de mon aveu involontaire. Puis il a dit:

«Écoute. Si tu veux des noisettes, ne te casse pas la figure en gravissant la muraille. Je vais te montrer une fissure que j'ai découverte dans ma jeunesse. Et tout près, il y a un pommier sauvage que personne ne connaît. Quand je serai reparti au collège, à Paris, les chiens ne viendront plus de ce côté. Tu prendras tous les fruits que tu voudras, et personne ne le saura.»

— Il était généreux, commente Geneviève.

Anne suggère:

— Il savait peut-être l'histoire de son ancêtre et voulait réparer l'injustice?

— Peut-être. Je ne l'ai pas demandé. J'étais trop contente de m'en tirer à si bon compte. Il a sorti une croûte de pain de sa poche et me l'a tendue. J'avais faim et je l'ai mangée. En passant sous le grand chêne où je grimpais pour voir le château, Thierry m'a dit: «Quand j'étais petit, cet arbre était mon voilier. J'en étais le capitaine. Je m'y réfugiais pour échapper à mon précepteur. La vue est très belle là-haut.»

Étourdiment, j'ai répondu: «Je sais. J'y monte souvent. C'est mon château.»

Il a murmuré: «Ainsi, toi aussi, tu cherches la joie dans les rêves?»

Puis il n'a plus parlé jusqu'à ce que nous arrivions devant la maison. Grand-père était sur le seuil. Il était inquiet car le soir tombait. Il a reconnu mon sauveteur et a froncé les sourcils. Thierry l'a salué courtoisement, et m'a aidée à descendre en me retenant par les poignets. Grand-père m'a reçue dans ses bras.

Thierry était très gêné et embarrassé. Il a sorti une pièce d'argent de sa poche et me l'a tendue.

— Voilà pour remplacer ta jupe que j'ai dû couper avec mon couteau.

J'ai pris la pièce, ne sachant que faire. Grand-père me l'a enlevée et l'a lancée au garçon en disant: «Les Chatel n'ont pas besoin de la charité de leurs voisins plus fortunés.»

Thierry est devenu tout rouge. Il a fait tourner son cheval et est parti au galop en sifflant ses chiens. Je ne l'ai plus revu pendant deux ans.

— Mais tu ne l'as pas oublié?

On devine qu'un tel crime aurait été impardonnable.

— Je pensais à lui, forcément, chaque fois que je passais par le trou de la muraille et que je cueillais «ses» pommes et «ses» noisettes. Et quand je grimpais dans le vieux chêne, je me demandais dans quelle tourelle du château était sa chambre.

— La plus haute, certainement, affirme Geneviève avec conviction.

3

Après un long silence où chacune rêve sa version personnelle de l'aventure, Jeanne reprend d'une voix sourde, car
cette partie du récit lui fait toujours mal, même après
huit ans.

— Un soir, quelque temps avant Noël, quand j'avais
dix ans, grand-père est revenu de la forêt, très pâle et très
malade. Les gardes-chasse l'avaient poursuivi longtemps
et il avait dû courir très vite. Il s'est couché, sur son banc,
près de l'âtre, et m'a demandé de mettre beaucoup de
bûches dans la cheminée. Il grelottait. Il a dormi un peu,
et plus tard, il m'a demandé d'allumer toutes les bougies
que nous avions. Cela m'a étonnée, car nous ménagions
toujours beaucoup la lumière. Maintenant, je sais que
grand-père ne voulait pas que j'aie peur de la mort, toute
seule dans l'obscurité. Je me croyais à une fête. Il faisait
chaud et clair, comme jamais avant, dans notre maison.

Marie, Anne et Geneviève s'imaginaient une chau-
mière coquette et rustique. Jamais Jeanne n'avait pu se
résigner à décrire sous son vrai jour la ruine calcinée qui

avait été le foyer de son bonheur. Ses amies ne pouvaient donc voir avec ses yeux cette immense pièce désolée, où des tapisseries en lambeaux masquaient des fenêtres très hautes aux volets perpétuellement clos. La lueur des chandelles tremblait sur les poutres noircies du plafond et prêtait un air sinistre au seul portrait d'ancêtre qui ait survécu à l'hécatombe. Les quelques meubles qui restaient et la bibliothèque avaient été groupés autour de la cheminée, laissant vide le reste de la salle où résonnaient les pas. Dans ces dix pieds carrés de lumière et de chaleur tenait tout l'univers de Jeanne Chatel.

— Alors, tranquillement, comme en me racontant une histoire, grand-père m'a préparée à sa mort. Il m'a fait soulever une pierre de l'âtre sous laquelle était cachée une chaîne en or avec une médaille de la Vierge. Il m'a dit, d'une nouvelle voix, très basse et très lente, en attachant la chaîne à mon cou:

«Demain, tu iras porter ce bijou à monsieur le curé, et tu lui diras que je veux reposer avec mes ancêtres, au cimetière. La médaille paiera les frais d'un service et de tout le reste. Ensuite, tu iras à Troyes, et tu diras à la supérieure de la Congrégation, Madame de Chablais, que tu es ma petite-fille. Je l'ai bien connue, autrefois. Elle te recueillera.»

Tout cela avait l'air tellement facile et naturel, que je ne pensais pas à m'en effrayer. Je croyais à un nouveau conte de grand-père, et comme il semblait fatigué, je ne voulais pas l'ennuyer avec des objections. Demain, il serait mieux et il oublierait tout cela.

Ensuite, il m'a dit que la mort était un repos, dans un jardin de rêve. Qu'on y retrouvait tous ceux qu'on avait aimés dans la vie, même les chiens qui avaient été nos amis fidèles. Il me promit qu'il m'attendrait tranquillement en fumant sa pipe, en tendant des collets et en pêchant des truites dans les forêts du Paradis. Puis il me dit: «Va te coucher, ma mignonne. Ce soir, il fait trop froid pour aller braconner. Va dormir, je vais me reposer, et demain, tu te souviendras de mes conseils.»

Il m'a embrassée sur le front, comme chaque soir. Je trouvais étrange de dormir avec toute cette lumière, mais c'était justement ces fantaisies imprévues qui faisaient le charme de la vie avec mon grand-père.

Je me suis éveillée très tôt, car le feu s'était éteint. Toutes les bougies avaient brûlé leurs mèches jusqu'au bout. Il faisait sombre, et je sus que grand-père était mort.

Les trois amies pleuraient franchement à ce récit cent fois répété, mais toujours aussi émouvant. Jeanne leur enviait ces larmes apaisantes. Jamais elle n'avait pu pleurer à ce souvenir, peut-être parce que Honoré Chatel avait si bien réussi sa mission d'adoucir la mort pour sa petite-fille.

De sa voix égale, Jeanne continua son récit:

— Monsieur le curé accepta la médaille. Des femmes que je ne connaissais pas m'ont forcée à porter des vêtements noirs trop grands pour moi. Elles n'ont pas voulu que j'entre dans l'église où avait lieu le service. Elles m'obligeaient à rester chez l'une d'entre elles, dans un salon poussiéreux où elles récitaient des chapelets. J'étais certaine que ce n'était pas ce que grand-père aurait voulu. Alors je me suis sauvée.

— Où, Jeanne? Où pouvais-tu aller, à dix ans, en hiver?

Il n'y avait qu'un refuge, toutes quatre le savaient, mais il fallait poser les questions rituelles.

— Je me suis enfuie dans le parc de Villebrand, par le trou de la muraille, et je suis montée dans le chêne, plus haut que jamais. De là, je les ai vus mettre grand-père dans un trou au cimetière, puis ils sont retournés chez eux.

Plus tard, ils ont commencé à me chercher. Ils couraient à notre maison, vers la ville, dans les sentiers, en m'appelant et me promettant des friandises.

J'avais froid et faim, mais je savais que si je descendais, ils m'enfermeraient dans un couvent, et je préférais mourir dans mon arbre.

«Qu'avait-on besoin de romans», se demandaient Geneviève, Anne et Marie, «quand on vit auprès d'une véritable héroïne?»

Jeanne se revoit, blottie sur une branche, paralysée, l'esprit vide, inconsciente du temps et du froid, attendant, attendant.

Le silence se prolonge. Anne reprend le fil du récit:

— Alors, Thierry est arrivé, sur son grand cheval blanc.

— Oui. Il venait de Paris, pour la Noël dans sa famille. Je l'ai vu de loin parler aux villageois qui montraient notre maison avec de grands gestes.

Quelque temps après, il a arrêté son cheval au pied du chêne, et s'est mis à escalader les branches, jusqu'à moi. Il a dit doucement: «Je savais que tu serais ici, dans ton château. Descends maintenant. C'est fini, les rêves. Viens, ma pauvre petite bécasse.»

J'étais si gelée que je n'ai pas pu agripper mes mains aux branches. Il m'a portée dans ses bras, jusqu'au pied de l'arbre.

— Il était fort, constate rêveusement Anne.

— Je n'étais pas lourde et je n'avais que dix ans. Et il était un homme déjà, très grand et robuste.

Les auditrices sont toujours brutalement ramenées à la réalité. Cette romance existe dans leur tête uniquement. L'héroïne n'était qu'une enfant.

— Et il t'a conduite au couvent?

— Il se dirigeait vers Troyes, me tenant fermement devant lui sur son cheval. Je me sentais rassurée. Tout à coup, je suis revenue à moi. Je devais m'échapper, sinon je serais en prison pour la vie.

— Tout de même, Jeanne, le couvent n'est pas si terrible.

— Maintenant je le sais. À ce moment, cela me semblait pire que la mort. J'ai décidé de m'enfuir. J'avais encore le sac de poudre de moutarde que j'avais transporté en vain toutes ces années. J'ai glissé ma main dans ma poche, et doucement, j'ai plongé mes doigts dans la poudre. J'avais mis longtemps à me décider, et nous approchions des premières maisons de la ville.

— Et tu l'as fait? Tu as osé aveugler ton bienfaiteur?

— Il n'était pas mon bienfaiteur, à mes yeux. Je pense que j'étais devenue un peu folle, par le chagrin et la fatigue. Je me suis retournée et brusquement, j'ai lancé la moutarde à sa figure.

Assises sur leur lit, Anne, Geneviève et Marie revivent avec des frémissements cette scène héroïque.

— Tu as osé, Jeanne, c'est terrible. Il était furieux?

— Il a poussé un cri et porté ses mains à ses yeux. J'allais sauter, quand il m'a attrapée par l'épaule en grondant entre ses dents: «Petite sotte. Tu ne m'échapperas pas.»

Il ne me lâchait pas, et renversait sa tête en arrière pendant que des larmes coulaient de ses yeux fermés et rougis. De sa main libre, il essayait de frotter ses paupières. Je le sentais frémir contre moi. Il a sorti son mouchoir, pareil à celui de l'autre fois et me l'a tendu d'une main qui tremblait.

«Vite, mouille-le avec l'eau de ma gourde. Vite, pour l'amour de Dieu. Je brûle.»

J'ai oublié mes projets de fuite. J'ai vidé l'eau sur le mouchoir, puis directement sur sa figure levée. Il remuait la tête, et serrait les dents. Il a tenu le mouchoir devant ses yeux, et à tâtons a cherché à reprendre les rênes de son cheval qui s'était arrêté.

Je les ai mises dans sa main, et il a donné un coup de talon à sa monture et m'a dit d'une voix haletante:

«Conduis-moi au couvent. Je ne vois plus rien. Tu m'as brûlé les yeux.»

J'étais terrifiée. Je ne me souviens pas comment nous sommes arrivés au couvent.

Devant la grille de la Congrégation, je lui ai dit:

«C'est ici.» J'étais passée avec grand-père, déjà, et il m'avait montré les fenêtres aux vitres opaques et le grand mur d'enceinte.

Thierry m'a fait glisser à terre en me tenant par le poignet qu'il n'avait pas lâché. Il a sauté à son tour à l'aveuglette. Il tenait le mouchoir sur ses yeux, et chancelait. Je l'ai tiré par le bras jusqu'au parloir. J'ai sonné,

sonné de toutes mes forces. Quand les religieuses sont arrivées, Thierry était à genoux par terre, à demi évanoui. On l'a porté dans le couvent. Quelqu'un a demandé:

— Que vous est-il arrivé?

— Il a murmuré: «Un accident. J'ai reçu quelque chose dans les yeux.» Il ne m'a pas trahie. On m'avait oubliée. Je me cachais dans un coin. J'ai su après par Mère de Chablais qu'il ne m'a jamais accusée. Personne n'a bien compris ce qui lui était arrivé. On a fait demander Monseigneur de Villebrand de l'archevêché. Il a transporté son neveu chez lui et on l'a soigné. Après quelques jours, il était guéri, semble-t-il, et il est reparti vers Paris.

Pendant ce temps, j'étais acceptée à la Congrégation.

Geneviève et Anne, arrivées au couvent en bas âge, n'ont jamais été mises au courant des débuts orageux de la nouvelle pensionnaire. Jeanne ne s'en vante pas. Les mains jointes, Anne murmure d'une voix rêveuse:

— Et alors, tu as reçu la lettre...

— Oui. On m'a remis une missive, la première, la seule que j'aie reçue dans ma vie. Elle contenait la chaîne et la médaille d'or que j'avais données au prêtre pour les funérailles de grand-père. Thierry avait dû les racheter.

— Et que disait la lettre? demande Geneviève, qui a pourtant lu et relu le feuillet jauni que son amie garde précieusement dans son placard, avec un grand mouchoir blanc brodé aux armes des Villebrand.

Dans le noir, la narratrice récite, comme si elle avait le papier sous les yeux:

— Cela commençait par «Mademoiselle Jeanne», comme si j'avais été une grande dame.

Mademoiselle Jeanne,

Voici une médaille qui appartenait à votre famille et que monsieur le curé m'a remise pour vous. Conservez-la en souvenir de votre aïeul, et considérez-la comme un geste de réparation des torts des miens envers votre famille.

Je crois comprendre maintenant l'impulsion qui vous a fait agir comme vous l'avez fait. J'admire le courage. C'est pourquoi je n'oublierai jamais le vôtre. Il me servira d'inspiration toute ma vie.

J'espère qu'avec le temps, vous comprendrez mon intervention et ne m'en tiendrez pas rigueur, comme je ne vous en veux pas de la vôtre.

Veuillez me croire, mademoiselle, le plus fidèle et le plus dévoué de vos serviteurs.

Thierry de Villebrand

— Comme c'est beau et bien dit, soupire Anne en se recouchant.

L'histoire véritable finit ici. Les divers épilogues que les quatre amies se sont plu à ajouter au cours des années, créant une légende d'amour autour d'événements étonnants mais plausibles, toutes ces fins romantiques ne sont plus nécessaires.

En acceptant d'aller en Nouvelle-France, Jeanne Chatel a passé de la légende hypothétique à l'aventure vécue. Ce ne sera plus un grand cheval blanc qui la conduira vers son destin, mais un voilier plus pittoresque encore.

Anne et Geneviève, ces futures religieuses craintives et pacifiques, ne se font pas d'illusions. Elles admirent le courage de leur amie, mais rien ne les inciterait à franchir les grilles rassurantes qui entoureront leur existence paisible. Marie, sans la présence de Jeanne, n'aurait jamais non plus osé affronter son nouveau destin.

La cloche de la chapelle sonne doucement. Jeanne se glisse entre ses draps rudes et, les yeux grands ouverts dans la nuit argentée, elle rêve d'avenir en serrant entre ses doigts la médaille d'or pendue à son cou.

4

Le Havre, juillet 1672

«Larguez les amarres!» Le cri se répète, les grands filins s'enroulent comme des serpents dociles. Les marins grimpent aux cordages, les voiles se déplient et claquent au vent.

Lentement, le navire tourne et glisse vers la mer. Sur le quai du Havre de Grâce, le port de Normandie d'où ils prennent le large, des mouchoirs s'agitent en signe d'adieu.

Sur le pont du voilier, les pupilles de Sœur Bourgeoys, six novices et cinq futures épousées, regardent s'éloigner la rive. Un jeune inconnu salue longuement avec son chapeau: Jeanne se plaît à imaginer que c'est son amant désespéré qui envoie un adieu suprême à la fille du Roy dont on lui a refusé la main. Après un long mois d'attente à Rouen, pendant qu'on préparait le bateau, le grand jour du départ s'est enfin levé.

L'orpheline quitte sans regret cette patrie qui pour elle se résume aux murs gris d'un couvent. À ses côtés, Marie pleure doucement, vaguement consciente d'un déchirement. Elle est émue du chagrin de ceux qui, parmi les quarante-cinq passagers, laissent un être cher sur les rives de France.

Marie presse dans ses mains la lettre qui a changé sa vie. Et Jeanne, le cœur serré, se demande si son amie tellement vulnérable trouvera dans le sieur de Rouville le mari compréhensif qu'elle mérite.

Jeanne se sent directement concernée par le bonheur de son amie. Cela a fait partie des plans d'adaptation de la rusée sœur Berthelet de confier à l'aînée la responsabilité d'une petite nouvelle désemparée et perdue. Les parents de Marie du Voyer venaient de périr dans un accident de coche et l'orpheline de huit ans, blonde et timide, était inconsolable.

Sœur Berthelet avait amené sa pupille, maintenant âgée de onze ans, grandie, robuste et débrouillarde, et lui avait dit:

— Mon enfant, il y en a une ici qui a besoin de toi. Qu'elle soit ta petite sœur. Protège-là, car c'est en aidant les autres qu'on trouve le bonheur.

Sous la poigne énergique de sa nouvelle amie, Marie du Voyer s'était épanouie. Bousculée et stimulée par Jeanne, elle lui avait en échange apporté les joies de la fraternité. Toute la tendresse inassouvie de sa jeunesse solitaire, l'aînée l'avait reportée sur cette enfant confiante. La douceur de l'une avait apaisé l'autre, et l'audace de Jeanne avait maintes fois donné du courage à Marie. Comme aujourd'hui, pour ce départ.

Les marins s'affairent, les ordres se croisent, les passagers s'agitent. Sœur Bourgeoys qui en est à sa cinquième traversée, s'occupe de faire disposer les coffres dans les cabines étroites et surpeuplées.

Jeanne, curieuse comme toujours, suit les manœuvres avec fascination. Les matelots qui grimpent aux cordages avec l'agilité de singes lui rappellent ses propres escalades dans le chêne de douce mémoire. Comme il est loin, son château dans un arbre. Peut-être Thierry a-t-il trouvé quelque part le voilier de ses rêves? Jeanne, en regardant le rivage disparaître à l'horizon, dit adieu à sa jeunesse et se tourne résolument vers l'avenir.

Marie, accoudée au bastingage, pleure toujours. Son amie, impatiente, veut la gronder un peu et se dirige vers elle. Soudain, elle s'arrête. Un officier va de l'un à l'autre, demandant aux passagers de regagner leurs cabines pour faciliter les manœuvres.

Il vient de s'approcher de la jeune fille en larmes. Jeanne le voit s'incliner et offrir à Marie d'abord son mouchoir, ensuite son bras.

Discrète, l'aînée observe de loin l'officier qui escorte la jolie blonde jusqu'à la porte de sa cabine. Lorsqu'en remontant sur le pont il la croise, Jeanne voit qu'il est jeune et beau.

Elle retrouve son amie assise sur son coffre, les mains jointes, les yeux brillants. Son intuition romanesque lui fait deviner avant même les victimes, que voici une paire d'amoureux transis.

Marie serre le mouchoir entre ses doigts. Jeanne la taquine doucement:

— On peut dire que les mouchoirs auront joué un grand rôle dans nos vies.

— Comme tu voudras, Jeanne, répond docilement l'autre qui n'a rien entendu.

5

Pour l'époque, la traversée fut courte: elle prit quarante et un jours. Jeanne, condamnée à l'oisiveté, et impatiente de l'avenir, la trouva longue. Mais elle ne dura que l'espace d'un instant pour Marie du Voyer, qui profitait de chaque occasion pour paraître sur le pont et causer avec son lieutenant.

Il avait vingt ans et s'appelait Jean Dauvergne. Son père avait un commerce à Québec. C'était la dernière traversée du jeune homme comme lieutenant de vaisseau. Il devait ensuite s'établir en Nouvelle-France et prendre charge des affaires paternelles.

Avec l'indulgence amusée d'une vieille tante, Jeanne encourageait ces rencontres clandestines. Elle montait la garde près des cordages où Marie et Jean s'assoyaient discrètement, se racontant à mi-voix les mille riens qui sont le dialogue des amoureux.

Lorsque quelqu'un s'approchait, la jeune fille fredonnait une chanson, et comme des coupables, les deux jeunes gens bondissaient. Marie se tournait vers sa compagne, les yeux étincelants, et bafouillait des sottises d'une voix rêveuse. Pendant ce temps, le lieutenant s'affairait à vérifier des arrimages ou examinait intensément par-dessus bord une vague pareille aux autres. Si Sœur Bourgeoys à qui peu de choses échappaient, découvrit le complot, elle eut la discrétion de ne pas intervenir.

Par un hasard à la fois malheureux et inespéré, les autres filles du Roy, victimes du mal de mer, ne quittaient pas leur cabine sombre et mal aérée.

Les six novices se préparaient à leur vie d'apostolat par la réclusion et les prières. Elles apparaissaient à l'office de la messe, célébré sur le pont par un prêtre voyageur, lorsque le temps le permettait. Autrement, on ne les voyait presque pas.

Un jour, la vigie signala au loin quatre voiles. Dans le monde clos d'un navire, les rumeurs courent vite. Bientôt, tous les passagers savaient qu'il s'agissait de bateaux anglais. À cause de l'état de guerre qui existait entre la France et l'Angleterre, il était à craindre que ces ennemis ne cherchent à les poursuivre et à les capturer.

Le capitaine crut de son devoir de rassembler ses passagers et de leur annoncer cette éventualité. Il y eut des protestations indignées, des pleurs et des cris.

— Que deviendrons-nous? demandaient les jeunes filles inquiètes.

Sœur Bourgeoys, très calme, dit à haute voix, d'un ton enjoué:

— Si des gens nous capturent, eh bien! nous irons en Angleterre ou en Hollande où nous trouverons Dieu comme partout ailleurs.

Cette boutade rassura les moins courageux, et le

capitaine se réjouit de la présence à son bord de cette femme forte.

Les navires disparurent à l'horizon, et le voyage se poursuivit sans autre alerte de ce genre.

Jeanne, toujours belliqueuse, avait espéré assister à un combat naval, sans réaliser qu'on l'aurait certainement confinée sous les ponts d'où elle n'aurait rien vu. Elle fut presque déçue de voir s'éloigner le danger.

Il fut remplacé par un autre d'un genre différent et encore plus redoutable.

Une fièvre mystérieuse terrassa cinq marins. Pendant un voyage en mer, les menaces d'épidémie étaient plus à craindre que le pire ouragan. Le capitaine, qui connaissait la réputation et le dévouement de Marguerite Bourgeoys, eut recours à sa compétence. À chacune de ses traversées, la voyageuse aguerrie avait rendu d'innombrables services de ce genre.

Elle demanda qu'on rassemble les malades dans un même endroit et leur rendit visite. Voyant qu'elle ne suffirait pas à la tâche, elle réclama l'aide de Jeanne qu'elle savait énergique et courageuse.

Les deux femmes passèrent plusieurs journées et autant de nuits à soigner ces malheureux, essuyant la sueur sur leur front enfiévré, leur faisant avaler des tisanes et des concoctions d'herbes médicinales dont Sœur Bourgeoys transportait toujours d'amples provisions.

Après cinq jours d'efforts épuisants, les malades se rétablirent et furent déclarés hors de danger, excepté un d'entre eux, Jocelyn Legrand.

Ce jeune Normand de dix-sept ans dépérissait d'heure en heure, et bientôt, il sombra dans un coma

fatal. On ne pouvait plus rien pour lui, et Sœur Bourgeoys, fatiguée par ses longues veilles, dut aller prendre
du repos. Jeanne qui venait de dormir quelques heures la
remplaça au chevet du mourant.

Accroupie sur un tabouret près de la banquette
étroite, la jeune fille impuissante regardait le visage creusé
et écoutait la respiration haletante. Elle demanda qu'on
allume une lanterne dans le réduit obscur, car elle se
croyait reportée à la nuit d'autrefois où son grand-père
agonisait.

Peut-être était-ce lui, au fond, qui ne voulait pas
rencontrer sa mort dans le noir? Il fallait rassurer Jocelyn
de la même manière.

Pendant que Jeanne déposait un linge humide sur la
tête brûlante, le garçon ouvrit les yeux. Pour la première
fois en deux jours, il reprenait conscience. D'une main
comme une griffe, il emprisonna les doigts de sa garde-
malade.

— Mademoiselle, je vais mourir. J'ai peur de mourir en mer, tout seul. J'ai peur.

— Tu n'es pas seul, Jocelyn. Je suis près de toi. Je ne
te quitterai pas.

Doucement, elle lui fit réciter son acte de contrition.
Le prêtre lui avait donné les derniers sacrements quelques
heures auparavant.

La jeune fille parla de la Vierge et de la bonté de
Dieu, comme elle savait que l'aurait fait Sœur Bourgeoys.
Mais le garçon ne lâchait pas sa main, et elle lisait la ter-
reur dans les yeux sombres.

Alors, d'une voix douce et égale, Jeanne Chatel
raconta au petit marin normand qui ne voulait pas

mourir, la belle histoire de la mort qu'elle tenait de son aïeul.

— Tu iras dans un grand jardin de rêve où tu retrouveras tous ceux que tu auras aimés dans ta vie. Même tes chiens. As-tu déjà eu un chien, Jocelyn?

— Oui. Quand j'étais petit, un gros chien tout frisé qui couchait avec moi. Il s'appelait Miraud.

— Eh bien, Jocelyn, Miraud t'attend et t'accueillera en agitant la queue. Et tu feras tout ce que tu as aimé faire sur la terre.

— Je jouerai de la flûte?

Tel un enfant confiant, comme la petite Jeanne d'autrefois, Jocelyn entre dans le jeu.

La jeune fille n'est pas certaine que Marguerite Bourgeoys ou le prêtre approuverait sa version personnelle du paradis, mais si Dieu est bon comme elle le croit, il ne décevra pas un petit matelot naïf et simple. Longtemps, ils complotent à voix basse.

Rassuré, le mourant ferme les yeux, et un sourire erre sur ses lèvres pâles. Il prépare son paradis. Près de lui, Jeanne prie, demandant à son grand-père de recevoir lui aussi ce pauvre enfant abandonné.

— Mademoiselle, souffle Jocelyn. Regardez dans mon coffre. Je veux vous donner un souvenir.

— Ce n'est pas nécessaire, proteste Jeanne, émue. Mais voyant son patient s'agiter et gémir, la jeune fille ouvre le vieux coffre qu'on a tiré près du lit.

— Là, au fond, dans ma chemise propre. Le châle espagnol, c'est pour vous. Je l'ai acheté dans un port pour l'offrir à une fille de chez moi, à celle que j'aurais épousée.

— Veux-tu me dire son nom? Je le lui enverrai de ta part.

Jocelyn a un sourire triste.

— Elle n'a pas de nom. Je ne l'avais pas choisie encore. Prenez-le. Je vous regarderai du paradis, et je vous trouverai belle.

Il se tait épuisé, et Jeanne, avec sa connaissance instinctive de ce qui fait plaisir aux autres, drape le magnifique châle fleuri rouge et vert, par-dessus sa robe grise. La longue frange soyeuse brille dans la lueur de la lampe, et ses yeux gris noyés de larmes se font tendres et doux. Jocelyn la fixe longuement. Tout à coup, il presse sa main et dit d'un ton calme:

— Bonsoir, mademoiselle. Je pars maintenant.

Sa tête bouclée retombe. Jeanne doucement tire le drap pour recouvrir la figure détendue et paisible. Elle murmure tout bas: «Bon voyage, Jocelyn. Dis bien bonjour à mon grand-père. Et attendez-moi là-bas, tous les deux.»

Le lendemain, devant l'équipage et les passagers réunis on jette à la mer le corps mince cousu dans une grosse toile. Au lieu de sa coiffe habituelle, Jeanne Chatel est enveloppée dans un châle voyant dont les couleurs chatoyantes tranchent sur les vêtements sombres de l'assistance. Des regards désapprobateurs se sont tournés vers elle. Mais Marguerite Bourgeoys, mise dans la confidence, a donné son approbation, avec cette ouverture d'esprit qui fait d'elle une avant-gardiste pour son époque.

Sous le soleil froid de l'Atlantique, sur ce petit vaisseau, point minuscule dans l'océan gris, toute la lumière du jour semble se concentrer sur le châle espagnol. Jeanne serre la médaille d'or qui pend à son cou. Elle est certaine que de leur paradis, Jocelyn Legrand et Honoré Chatel la contemplent avec plaisir. Elle sent autour d'elle la chaleur de leur présence, et seule de tous les passagers, elle regarde sans larmes les flots se refermer sur le cadavre d'un jeune garçon de dix-sept ans.

Il parut tout naturel, quelques jours plus tard, lorsqu'un câble en cédant précipita deux matelots en bas du grand mât, qu'on eût recours à Sœur Bourgeoys et à son assistante attitrée. La fondatrice, aidée de trois hommes forts qui maintenaient les blessés, replaçait les os cassés et recousait les blessures. Jeanne, pâle de compassion, l'aidait de son mieux.

Elle combattait la nausée, tout en soutenant la tête des infortunés et glissait entre leurs dents serrées le morceau de bois dans lequel ils devaient mordre pour étouffer leurs cris de douleur.

Lorsque la chirurgie brutale fut terminée, et les marins enfin inconscients, installés le mieux possible, la jeune fille courut au bastingage et put enfin vomir et se pâmer. Mademoiselle Bourgeoys vint la rejoindre et lui glissa discrètement une serviette mouillée avec laquelle Jeanne essuya sa figure couverte de sueur.

— Je m'excuse de cette faiblesse, murmura-t-elle, honteuse.

— Au contraire, mon enfant. Vous avez été admirable, lorsqu'on a eu besoin de vous. Ce qui est la réaction tout à fait humaine d'une nature sensible. Je vois déjà l'apport généreux que vous offrirez à notre colonie. C'est d'âmes comme la vôtre dont nous avons le plus besoin.

— Je ne suis pas très versée dans les oraisons, avoue Jeanne avec franchise.

— Vous êtes une bonne fille. Vous aiderez les autres, ce sera votre façon à vous de prier. Quelques-uns ont un dévouement plus efficace que d'autres. Vous serez de ceux-là.

Sœur Bourgeoys se retira, laissant la jeune fille rêveuse contempler les flots houleux sous le ciel nuageux.

Jeanne était heureuse que quelqu'un ait enfin confiance en elle. Sans son enthousiasme et sa gaieté naturelle, il y a longtemps qu'elle aurait sombré dans la frustration. Les bonnes religieuses de la Congrégation, à l'exception de sœur Berthelet, n'avaient jamais été entièrement satisfaites de ses efforts. Toute sa vie elle avait été comparée défavorablement à la douceur de Marie, à la piété de Anne, à l'application de Geneviève et à la modestie de toutes les autres.

Heureusement, dix années de sécurité affective auprès de son grand-père lui avaient donné un fond d'optimisme et une réserve de chaleur qui l'avaient soutenue dans les heures mornes où la routine du couvent menaçait de l'écraser.

6

Un jour, enfin, la vigie signala la terre. Tous les voyageurs furent un peu déçus de n'apercevoir qu'une mince ligne sombre à l'horizon. Bientôt, le vaisseau longea les hautes falaises rocheuses de Terre-Neuve. Puis ce furent les côtes de la Nouvelle-Écosse qui défilèrent devant leurs yeux.

Le Saint-Laurent se rétrécit, tout en gardant des proportions gigantesques à côté des cours d'eau de France. Parfois, ils contournaient une île verdoyante posée comme une émeraude sur le ruban gris acier du fleuve. Le vent leur apportait la vivifiante odeur des sapins qui bordaient les rives, dévalant jusqu'aux berges.

Un matin, alors que les passagers réunis sur le pont admiraient les rochers qui surplombaient la rivière Saguenay, Sœur Bourgeoys entraîna Jeanne vers la cabine étroite que la fondatrice avait partagée avec cinq des novices. En riant, la grande voyageuse avait confié à ses compagnes que ce réduit obscur représentait un luxe pour elle. En effet, elle avait déjà fait la traversée sur le pont, couchant sur des cordages, à la belle étoile, lorsqu'elle avait été trop pauvre pour s'offrir un lit à bord.

— Jeanne, dit Sœur Bourgeoys, j'ai préparé cette trousse pour vous. Elle vous servira à aider les autres. Je devine en vous un grand besoin de dévouement, et ceci sera votre meilleur atout dans votre nouvelle vie.

Elle tendait à l'orpheline un lourd sac de cuir de forme carrée, muni d'une courroie afin qu'on pût l'accrocher en bandoulière.

La religieuse continua:

— J'ai rempli ce sac de médicaments et d'herbes curatives. J'en ai fait ample provision en France avant mon départ.

Déposant le sac sur le banc étroit qui lui servait de lit, elle l'ouvrit et montra à sa pupille un assortiment de sacs plus petits, de flacons de verre et de gourdes, tous soigneusement étiquetés. Un carnet couvert d'écriture accompagnait le tout.

— Vous trouverez ici la description de chaque remède, les maladies qu'il combat, les dosages et les effets prévus. Je vous sais assez diligente pour l'étudier et en tirer profit. Il ne faudra pas négliger non plus la science de bien des gens sages que vous rencontrerez.

Soyez toujours en alerte pour trouver de nouvelles plantes curatives. La Nouvelle-France en compte beaucoup que des Indiens ou des colons vous indiqueront. Ces gens simples possèdent parfois les secrets de cures très efficaces.

Avec un air enjoué, Marguerite Bourgeoys ajouta, en refermant le sac:

— N'oubliez pas non plus l'effet moral très positif d'une potion bénigne, lorsque la vraie nature de la maladie vous échappe. J'ai guéri des vapeurs avec de l'eau chaude sucrée, bien souvent. Et les mères dorment mieux lorsqu'elles ont un médicament à offrir à leurs enfants à intervalles réguliers. Cela les rassure et double leur courage.

Jeanne écoutait attentivement, ses yeux gris fixés sur la figure ridée de sa bienfaitrice. Il lui semblait être un soldat à qui on confie une mission. Passionnément, l'orpheline déclara:

— Vous n'aurez pas en vain eu confiance en moi, mademoiselle. J'ai appris déjà beaucoup pendant cette traversée, et avant que nous mettions pied à Québec, je saurai ce carnet par cœur.

Son zèle rasséréna la fondatrice qui s'y connaissait en femmes d'action et en avait deviné une dans cette élève turbulente dont Mère de Chablais n'osait garantir aucune qualité.

Jeanne transporta le lourd sac à sa cabine, en retira le carnet et étendit les contenants de médicaments sur sa paillasse. Elle se plongea dans l'étude de cette science nouvelle et chaque instant libre la retrouvait murmurant:

— Vinaigre des quatre voleurs contre la peste.

Eau de mélisse contre la migraine.

Coquelicot contre la bronchite.

Aubépine pour le cœur.

Parégorique, calmant contre la douleur.

S'il n'en tenait qu'à Jeanne Chatel, la colonie resplendirait de santé perpétuelle et ne compterait plus bientôt que des centenaires alertes et des enfants bien portants.

7

C'est par une belle soirée du mois d'août que le voilier longeant l'Île d'Orléans s'approche de la ville fortifiée de Québec, perchée sur les hauteurs de son cap gigantesque.

Au-dessus de la fortification de rondins du château Saint-Louis qui domine le rocher, le drapeau royal claque au vent. Jeanne regarde avec fierté ce symbole du courage et de la ténacité de ses compatriotes.

Plusieurs maisons de bois se blottissent à l'ombre du cap Diamant. Des canots et des embarcations de tous genres sont échoués sur la berge. Au loin, une côte abrupte escalade la falaise, conduisant à la partie haute de la ville.

Si le départ du Havre a semblé pittoresque à Jeanne, son arrivée à Québec la laisse sans parole. En plus de la délégation du gouverneur qui présente les armes avec fanfare, elle voit sur le quai la foule des citoyens que cet événement recherché, l'arrivée d'un bateau, a attirés. Les coureurs des bois avec leurs étranges chemises à franges et leurs bonnets de fourrure ne quittent jamais leur fusil. Les Indiens lui semblent pacifiques, abrutis même et elle ne s'explique pas la terreur avec laquelle on en parle. Elle ignore encore que c'est la proximité avec les Blancs qui a transformé ces indigènes qui n'ont rien de commun avec leurs frères, les farouches rois de la forêt.

Les passagers, assemblés sur le pont, au milieu de leurs coffres et de leurs valises, étudient en silence le paysage grandiose qui s'offre à leurs yeux. Les moins braves sont écrasés par ce roc immense, ce fleuve gigantesque, ces forêts interminables entre lesquelles ils naviguent depuis des jours. Comme ils sont loin, les contours paisibles et les couleurs douces de la campagne française.

Marie, appuyée au bastingage entre Jeanne et son lieutenant, regarde autour d'elle avec des yeux terrifiés. Elle frissonne.

— Tout paraît si grand, si menaçant.

— Non, contredit Jeanne enthousiaste, tout est magnifique. L'air sent le pin. On voit que le pays est tout neuf.

Avec un grand remue-ménage de cris et de bruits, la passerelle relie enfin le vaisseau à la terre ferme.

Le gouverneur, Monsieur de Frontenac, qui vient d'entrer en fonction, s'avance, le chapeau à la main. La première, Sœur Bourgeoys franchit l'étroit trottoir de bois. Les Québécois l'acclament, sachant que chacun de ses nombreux voyages a contribué au bien-être de la colonie.

Sur un geste du capitaine, les filles du Roy, Jeanne en tête, mettent le pied sur le sol de la Nouvelle-France. À la déception de plusieurs, l'impression de roulis et de tangage ne disparaît pas, mais persistera encore pendant plusieurs heures.

Les Québecois, intimidés, examinent de loin ces filles assez téméraires pour débarquer dans un pays sauvage sans autre protection que celle d'un mari éventuel. Les hommes mariés regardent ce qu'ils ont manqué, et les célibataires inventorient les possibilités.

Les jeunes filles, gênées par tous ces yeux avides, rougissent et baissent la tête. Seule Jeanne, émerveillée et fascinée, regarde partout autour d'elle et répond par un franc sourire aux expressions de bienvenue qu'on murmure autour d'elle.

Les femmes du pays les entourent, pleines de questions sur le prix des denrées en France et sur la mode à Paris. Les six novices et les filles du Roy, fraîches émoulues d'un couvent, sont bien incapables de répondre, et les curieuses se rabattent sur d'autres passagères mieux informées.

Sœur Bourgeoys rassemble sa petite troupe et la précède dans les rues étroites de la Basse-Ville.

Jeanne traîne à l'arrière, s'attardant à examiner une Indienne qui transporte son bébé accroché sur son dos dans un étrange cocon de cuir et de bois.

— Comme c'est pratique, s'extasie la jeune fille. Et cela laisse les mains libres pour travailler. C'est un beau bébé, assure-t-elle avec conviction à la femme qui la fixe d'un air impassible, sans répondre. Mais un éclair de fierté maternelle a traversé ses yeux sombres.

Jeanne relève ses jupes et s'élance en courant à la poursuite du groupe froufroutant de ses compagnes. Ses jambes couvertes de bas blancs fendent l'air avec agilité. Marie est absolument scandalisée.

— Tu n'y penses pas, Jeanne, courir dans les rues comme un gamin. Que dirait Mère de Chablais? Une dame ne fait pas cela.

— C'est vrai, admet humblement l'étourdie. Je ne suis pas une grande dame, loin de là.

Elle n'en continue pas moins à avancer la tête dans le dos. La petite ville répond bien à la description qu'elle en a lue dans «L'Histoire véritable et naturelle» écrite en 1663 par Pierre Boucher. Voyant son intérêt pour sa future patrie, Marguerite Bourgeoys lui a offert ce livre avant son départ de Troyes. Plus instruite et plus éveillée que ses compagnes, Jeanne Chatel avait accablé sa protectrice de multiples questions. Le modeste ouvrage écrit par le gouverneur des Trois-Rivières avait, en partie, satisfait sa curiosité. Elle en connaissait des passages entiers par cœur.

«Québec est situé sur le bord du grand fleuve Saint-Laurent, qui a environ une petite lieue de large en cet endroit-là, et qui coule entre deux terres élevées; cette forteresse, les églises et les monastères et les plus belles maisons sont bâtis sur le haut; plusieurs maisons et magasins sont bâtis au pied du coteau, sur le bord du grand fleuve, à l'occasion des navires qui viennent jusque-là...»

Sœur Bourgeoys conduit ses filles à la petite habitation de la veuve Myrand qui tient auberge à la Basse-Ville. Elles y logeront pendant les quelques jours nécessaires à préparer le départ vers Ville-Marie. Il faut réserver des bateaux plats, engager des rameurs qui leur feront remonter le courant dans un voyage épuisant de sept ou huit jours.

La veuve Myrand, bourrue et peu avenante, montre à ses pensionnaires des chambres aussi petites et surpeuplées que celles du navire qu'elles viennent de quitter. Personne ne proteste. L'esprit de renoncement est bagage essentiel pour ceux qui viennent coloniser le nouveau monde.

Des garçons robustes déposent dans la salle commune les coffres des onze jeunes filles, puis ils se retirent après bien des regards en coin et des saluts gauches, serrant sur leur cœur les bonnets de laine qu'ils portent même en été. Jeanne les examine impudemment et les rejette l'un après l'autre, mentalement. Aucun ne rencontre ses exigences excessives. Sans le savoir, la sentimentale cherche Thierry de Villebrand sur tous les visages des prétendants. C'est la meilleure façon d'être déçue, elle le sait, mais n'y peut rien.

Malgré l'heure tardive, Sœur Bourgeoys quitte ses pupilles après des recommandations de prudence. Il ne faut pas sortir. Les Indiens rôdent peut-être. Elle ne le dit pas, mais les colons et les soldats présentent un danger beaucoup plus tangible que les Peaux-Rouges, pour ces jeunes tourterelles qui sont denrée rare en Nouvelle-France.

La fondatrice gravit la pente raide de la côte de la Montagne, pour aller présenter ses hommages au délégué de l'évêque. Car son vieil adversaire, Monseigneur de Laval, avec qui elle a eu plusieurs fois des démêlés pénibles, est actuellement en France. Ce prélat autoritaire voudrait bien voir cette insoumise astreinte aux règlements du cloître comme celui des Ursulines. Et Sœur Bourgeoys s'y refuse, soutenant que son apostolat doit se faire à l'extérieur et qu'elle aide mieux la colonie en restant séculière et libre de ses allées et venues.

La voyageuse visitera aussi les dames Ursulines où elle passera la nuit. Malheureusement, sa grande amie, la Mère Marie de l'Incarnation, qui la recevait toujours avec plaisir, est morte au mois d'avril précédent.

Cette dernière absence de Marguerite Bourgeoys a duré deux ans. Bien des choses ont changé pendant ce temps. L'intendant Talon et Monsieur de Courcelle, le gouverneur, ont été rappelés en France. Monsieur de Frontenac, qu'on dit énergique et courageux, habite maintenant au château Saint-Louis.

La fondatrice de la Congrégation monte la côte abrupte à petits pas, heureuse elle aussi de retrouver la terre ferme et contente d'avoir ramené, cette fois encore, des nouvelles recrues pour ce pays qu'elle aime tant.

8

La veuve Myrand sert en grommelant un repas frugál qui semble somptueux après la viande salée, les biscuits secs et l'eau rance qui constituaient les menus du bord.

Jeanne, surexcitée par l'animation et le bruit de la ville, et encore inhabituée à sentir la terre ferme sous ses pieds, demande et obtient la permission de s'asseoir avec Marie sur le pas de la porte. Toutes deux causent doucement dans la pénombre ou plutôt Marie parle, animée, intarissable sur les qualités sans nombre de son lieutenant. La petite souris grise du pensionnat est transfigurée.

— Tu sais, Jeanne, nous allons nous marier et Jean va s'établir ici, à Québec, où son père a un commerce.

— Et que dira ton fiancé, le sieur Simon de Rouville?

Marie, amoureuse, écrase les obstacles:

— Oh! Il comprendra et épousera une autre des filles du Roy. Toi, par exemple.

— Merci bien. Laisse-moi au moins le privilège du choix.

Ce vieux veuf qui cherche une gouvernante ne lui dit rien qui vaille.

Des pas s'approchent de la maison: «C'est Jean», s'exclame Marie qui guettait depuis un moment.

Le jeune homme s'avance d'un pas ferme et s'incline devant les deux amies. Relevé de ses fonctions à bord du navire pour la soirée, il est allé saluer ses parents qui habitent sur le Cap, il est descendu au plus tôt retrouver celle qu'il aime. Ils n'ont pas grand temps pour élaborer leurs projets, et ont toute une vie heureuse à préparer.

Jeanne s'éloigne discrètement de quelques pas, laissant les jouvenceaux se parler cœur à cœur. Elle se sent vieille et protectrice. Tout son amour fraternel va à cette jeune fille confiante, à ce garçon sincère dont elle souhaite le bonheur.

Appuyée sur le côté de la maisonnette, à quelques pas de la rue déserte à cette heure, l'orpheline écoute le silence étonnant après le bruit constant qui assaillait les oreilles à bord du bateau. Une odeur de terre et de sapin se mêle à celle des quelques fleurs tenaces qui bordent le petit jardin de madame Myrand.

Au loin, on entend la cloche d'une église, aussi cristalline, aussi rassurante que celle des clochers de France. Que peut-on craindre dans cette nuit paisible? Jeanne, le petit braconnier des forêts de Troyes, retrouve son âme de noctambule.

Soudain, une apparition terrible surgit de la nuit. Une affreuse figure grimaçante, traversée d'une cicatrice et couronnée de deux plumes, se matérialise sans bruit devant elle, lui coupant la retraite. Sœur Bourgeoys avait raison: les Peaux-Rouges ont toutes les audaces. Les récits terrifiants dont les marins se sont amusés à régaler les voyageuses, malgré la vigilance de la fondatrice, reviennent à la mémoire de Jeanne. Dans un éclair, elle pense: «Si je crie, Jean et Marie viendront à mon secours et seront tués.» Alors, elle ne crie pas, mais se met à reculer lentement, pas à pas, vers la nuit, renonçant à être secourue mais éloignant aussi le danger des êtres qu'elle aime.

Sans un mot, sans un son, l'Indien la suit, dressé entre la maison et elle. Il avance la main. Tient-il un couteau? Elle ose baisser les yeux et voit avec surprise que c'est un papier qu'il lui offre. À bien le regarder, sa figure patibulaire exprime plus de perplexité que de haine, et sa grimace est un sourire.

Arrachant le billet de la main tendue, elle contourne le Peau-Rouge. Sans pouvoir prononcer un mot, elle se précipite vers l'auberge et bouscule sans cérémonie Marie et Jean qui remarquent à peine son passage. Elle s'écrase dans la chaise basse, devant la chandelle près de laquelle la veuve Myrand somnole dans sa berceuse. Habituées aux heures du bord, les pupilles de Sœur Bourgeoys font oraison ou dorment déjà sous les combles.

Penchée vers la lumière vacillante, Jeanne, encore toute pâle, déchiffre l'écriture de Marguerite Bourgeoys qu'elle connaît très bien pour l'avoir aidée à dresser des listes d'achats à Rouen. La lettre est adressée à la veuve Myrand. Jeanne la remet à cette bonne personne qui, plutôt que d'avouer qu'elle ne sait pas lire, prétexte sa mauvaise vue et se dit tout oreille.

S'efforçant de dissimuler le tremblement de sa voix, Jeanne lit les mots qui se brouillent devant ses yeux.

«Chère madame, la présente est pour aviser la

demoiselle Marie du Voyer d'une situation urgente. Son fiancé, le sieur de Rouville, la réclame immédiatement à Ville-Marie à cause de la saison tardive. Un groupe de voyageurs, accompagnés de deux sulpiciens et de deux femmes, partira demain à l'aube, en canot, et permission est accordée à mademoiselle du Voyer de les accompagner. Elle se retirera à Ville-Marie à l'école du Bon-Secours où tous les arrangements sont complétés pour son mariage au sieur de Rouville. Celui-ci désire ardemment regagner ses terres avant d'être surpris par l'hiver. Souhaitant à Mademoiselle du Voyer tout le bonheur possible dans sa sainte destinée, je la place sous la protection de Notre-Dame du Bon Secours.» Suivaient les salutations d'usage et la signature de la fondatrice.

Jeanne est atterrée. À ce moment, la porte s'ouvre et Marie entre, les yeux brillants. Pour ne pas rompre le charme sous lequel elle demeure, elle passe devant son amie sans parler et, la saluant d'un petit signe de la main, elle grimpe l'escalier raide qui conduit au grenier où les jeunes filles dorment. Avec l'égoïsme des amoureux, elle allait rêver à son bonheur, sans réaliser qu'il venait tout juste de s'écrouler.

Jeanne s'approche de la porte et voit près des marches la forme immobile de l'Indien qui attend. Comme tantôt lorsqu'elle a cru ses amis en danger, aussi instinctivement, aussi rapidement, la résolution de la jeune fille se cristallise. Elle se tourne vers la veuve Myrand qui, la bougie à la main, espère bien que toutes ses pensionnaires agitées régleront enfin leurs problèmes et la laisseront se coucher.

— Madame Myrand, si vous pouvez m'aider à tirer

mon coffre près de la porte, cet Indien m'aidera à le sortir. Si vous voulez bien me laisser la bougie et me donner de quoi écrire, vous pourrez vous coucher et je ne vous réveillerai pas en partant à l'aube.

— Ah! fit la veuve sans grand intérêt. C'est vous la demoiselle du Voyer?

— C'est moi, dit Jeanne calmement. Et mon fiancé m'attend à Ville-Marie.

9

Sur la berge du Saint-Laurent, septembre 1672

«Chère Marie,

J'écris à plat ventre sur le sol détrempé. J'étrenne le cahier offert à bord du bateau par Sœur Bourgeoys pour y écrire mes pensées spirituelles. Je suis censée être au sec sous une bâche qu'un père sulpicien et un des voyageurs ont bien galamment tendue sur des perches et qualifiée d'abri. La pluie glisse sur les feuilles et tout ce que je touche, mange ou respire est mouillé. Les Indiens ont réussi un feu qui fume entre deux roches, et leur peau luisante s'éclaire d'éclats rouges. On m'a donné je ne sais quel mets appelé pemmican, à la fois gras et dur. Les femmes mentionnées dans la lettre de Mademoiselle Bourgeoys sont deux Huronnes aussi sauvages et silencieuses que leurs hommes.

Depuis deux jours, les Indiens, les voyageurs et les deux pères sulpiciens ont avironné, courbés sous la pluie, longeant la berge du fleuve. Après le Cap Rouge, aucune habitation, excepté deux fermes isolées et les ruines calcinées d'une troisième.

On m'appelle Mademoiselle du Voyer, et je réponds comme si ce nom était le mien depuis toujours. Que dira le sieur Simon de Rouville lorsqu'il découvrira la supercherie? Si jamais tu lis ces lignes ce sera parce que tout sera arrangé. Tu auras le bonheur avec ton Jean, et le sieur de Rouville m'aura acceptée ou refusée. Je suis venue ici comme fille du Roy pour épouser un colon de la Nouvelle-France et je savais bien au fond, tout au fond, que mes beaux rêves d'un fier militaire, d'un galant seigneur ou d'un riche fermier n'étaient que cela... des rêves.

Si au moins ton rêve à toi se réalise, une de nous deux aura réussi. Voilà mon beau cahier tout gondolé, et l'écriture presque illisible. Ça ne fait rien, je n'écris pas pour être lue, mais pour être moins seule.»

...Un autre feu de camp...

«Le voyage continue entre des rives désertes. Ce fleuve est si large qu'on perd souvent de vue l'autre berge. Je pense sans cesse à la déception du sieur de Rouville lorsqu'il verra, à la place de la jolie cousine qu'il attendait, une orpheline aux nattes tirées, à la figure pâlotte, aux yeux fades. Même comme gouvernante, est-ce cela qu'il souhaite? Et tout à coup je pense que son choix engagera toute ma vie, et j'ai très peur, beaucoup plus que des Iroquois. Demain, nous arriverons. Si la pluie cesse, mes cheveux sécheront peut-être?»

10

«Chère Marie,

Ton fiancé m'a vue, et je ne sais pas encore comment interpréter sa réaction. Voici ce qui est arrivé. Le voyage a duré cinq jours, ce qui est très rapide, m'a-t-on affirmé avec satisfaction.

Après avoir longé une île appelée Sault Normand, le canot a viré brusquement et pointé vers la rive. J'ai aperçu près de l'embouchure d'une petite rivière la palissade d'un fort. À gauche, parmi les arbres touffus, quelques champs cultivés entouraient une chapelle et une couple d'édifices de pierre qui m'ont paru des granges mais qu'un père sulpicien m'a désignés fièrement comme l'hôpital de l'Hôtel-Dieu de Mademoiselle Mance et l'école Bon-Secours de Sœur Bourgeoys. Ça et là quelques maisons, et au loin la silhouette d'une montagne ronde surmontée d'une croix: le Mont-Royal.

Dès que le canot fut à une centaine de pieds de la berge, tous les voyageurs ont lancé de grands cris en agitant leur aviron. À ce bruit, les soldats ont tiré du mousquet en l'air, les cloches de la chapelle se sont mises à carillonner, et des gens, hommes, femmes et enfants ont surgi des maisons et des bois, et dévalé la pente douce pour venir à notre rencontre.

Les voyageurs et les Indiens ont échoué les canots et ont sauté à l'eau, quelques-uns jusqu'à la taille, malgré la température fraîche. On m'a ordonné de rester assise, et tous ont soulevé la lourde embarcation et l'ont déposée au sec sur le sable. Je me sentais vraiment Fille du Roy. Un voyageur a crié: «Rouville, voilà ta fiancée.»

Je cherchais, parmi les bourgeois qui attendaient à l'écart, le monsieur bedonnant et âgé qui répondrait à l'image que je m'étais faite, depuis la première lecture de sa lettre, de ton futur mari.

Un homme grand et mince s'est avancé, vêtu de la chemise à franges des coureurs des bois. Il s'est appuyé sur sa longue carabine et m'a regardée longuement, en silence. Le soleil couchant m'empêchait de voir son visage et éclairait le mien que je sentais déjà rougissant. Pour un fiancé, il ne me parut pas galant. Peut-être était-il déçu? J'avais juste eu le temps de poser au hasard, probablement de travers, une coiffe sur mes cheveux ébouriffés. La vie de camp n'est pas propice à la coquetterie.

Pourtant, une phrase aimable ne coûte rien, ni un mot de bienvenue. Le sieur de Rouville a dit brusquement: «Je vous verrai ce soir à Bon-Secours», et, tournant les talons, il s'en alla discuter avec un des Hurons qui nous accompagnait. Il parlait avec des gestes autoritaires, et les autres semblaient le craindre.

Heureusement, les femmes firent grand cas de moi,

m'interpellant et désirant des nouvelles de Québec et de la France. Elles s'informaient des gens de la colonie et des prix en Europe. Mal renseignée sur les deux, je ne dus pas faire grande impression. On me conduisit avec mon coffre à l'école qui était, comme je l'avais deviné, une ancienne grange et on m'y laissa aux mains d'une demoiselle Catherine Crolo, et des autres assistantes de Sœur Bourgeoys.

Après un souper qui me parut un banquet parce qu'il offrait des légumes et des fruits après les rations du voyage en canot et de la traversée, je me parai de mes plus beaux atours. Malgré tous mes soins, la seule petite glace que je trouvai dans l'école me montra toujours la même figure pâle, les mêmes yeux gris cernés. La fatigue me rend terreuse, et j'étais épuisée et nerveuse. Je pensais avec attendrissement à toi et à Jean, et votre bonheur me donnait du courage.

Lorsque le sieur de Rouville se présenta, tôt après le repas, il n'avait pas lâché sa précieuse arme à feu. De près, sa figure bronzée me plut assez. Il a les traits réguliers, les yeux pâles et perçants et des cheveux noirs qu'il porte courts. Il semblait très mal à l'aise et je ne peux le blâmer, car mademoiselle Crolo, prenant son rôle de chaperon au sérieux, ne nous quitta pas un instant. Assis côte à côte sur le même banc, nous évitions de nous regarder.

Comme premières paroles, «notre» fiancé annonça: «Si cela vous convient, Mademoiselle du Voyer, le père Lefebvre, supérieur du Séminaire, bénira notre mariage dès vendredi, car nous devons partir pour mon domaine avant l'hiver.» Un domaine? Quel domaine?

J'avais l'impression de devoir arrêter un cheval

emballé. Je ne savais par où commencer mes protestations et explications. J'allai au plus pressé.

— Je ne suis pas Mademoiselle du Voyer.

Et tout d'un trait, j'expliquai plus ou moins clairement ton histoire.

Sa réaction fut inattendue.

— Mais vous êtes tout de même une fille du Roy? Vous êtes prête à vous marier vendredi? Je dois aller tout de suite avertir le père Lefebvre du changement de nom.

Sans un mot de plus, après un salut bref, il se sauva comme devant un dragon.

J'hésitais entre la colère et les larmes lorsqu'il surgit de nouveau dans la salle. «J'ai mal compris votre vrai nom. Quel est-il?»

Je le lui ai lancé à la tête. Avec dépit, j'ai ajouté:

— Vous devez savoir aussi que je suis plus vieille que vous ne croyez.

Il a froncé les sourcils. C'est une enfant de quinze ans qu'il attendait. De sa voix dure, il demanda:

— Ah! Et quel âge avez-vous donc, mademoiselle?

Je lui ai fait face avec dignité.

— J'ai dix-huit ans, presque dix-neuf.

Il a eu un sourire ironique et a dit d'un ton railleur:

— C'est en effet un âge respectable. Une vieille fille, quoi.

Mademoiselle Crolo a toussé discrètement. J'étais furieuse. Ne voit-il pas comme ma situation est pénible et fausse, et ne pourrait-il m'aider, au lieu de me ridiculiser aux yeux de notre chaperon? Je suis sûre que devant ta beauté et ta douceur, il aurait réagi tout autrement.

Et voilà comment j'épouserai vendredi un parfait étranger pour aller vivre dans un domaine inconnu avec l'approbation du supérieur du séminaire et la bénédiction de toute la colonie. J'espère que tu seras heureuse, Marie. J'ai l'impression que j'achète ton bonheur avec le mien.»

11

«Chère Marie,

Je termine ce cahier par le piteux récit de mon mariage. Je le laisserai entre les mains de mademoiselle Crolo et, dans un an, quand nous reviendrons à Ville-Marie, pour vendre les fourrures trappées par mon mari pendant l'hiver, j'y ajouterai un épilogue. S'il est heureux, tu recevras ce cahier par un courrier; s'il est malheureux, je le brûlerai et tu croiras que ton amie a disparu dans la nature sauvage, et tu la pleureras un peu en berçant tes enfants blonds.

Comme cadeau de noces, mon fiancé m'a remis solennellement... un mousquet, m'adjurant de ne jamais m'en séparer. Tous les hommes l'ont admiré, et je me demandais que dirait mère de Chablais et nos compagnes de la congrégation d'un tel présent.

Il semble que le sieur de Rouville ait perdu une femme aux mains des Iroquois et n'ait pas l'intention d'en sacrifier une seconde.

La cérémonie du mariage, comme tout en Nouvelle-France, a été simple et rapide. Le marié et les invités ont déposé leurs armes à la porte de la chapelle et les ont reprises dès leur sortie. On craint les Iroquois même dans la ville. Le marié portait un habit de lainage et semblait bien mal à l'aise dans ses souliers durs.

À la dernière minute, on a dû faire une substitution, car semble-t-il, celui qui devait servir de témoin à mon époux n'était pas revenu à temps d'une expédition en Huronie. Au lieu du capitaine de Preux, camarade de collège et compagnon d'armes de Simon de Rouville, un lieutenant dont j'oublie le nom accompagna le marié. Comme je ne connais aucun des deux officiers en question, et guère mieux mon époux, la chose me laissa indifférente.

Je serrais les fleurs sauvages qu'une femme avait glissées dans mes mains en guise de bouquet de noces, et je croyais vivre un rêve.

J'ai murmuré: «oui», d'une voix imperceptible, après que le père Lefebvre m'eut posé deux fois la question traditionnelle, et que d'un coup de coude impérieux, mon seigneur m'eut rappelée à l'ordre. Lui fut moins hésitant. Son «oui» résonna dans l'église et me glaça d'effroi. Il semblait vouloir dire:

— Évidemment, je veux l'épouser, puisque je suis ici. Finissons-en avec ces balivernes et partons au plus tôt. J'ai des choses plus urgentes qui m'attendent.

C'était fait. Nous étions mari et femme, et je ne savais ni son âge, ni la couleur exacte de ses yeux.

Tout le monde a pris bien naturellement mon changement de nom: de du Voyer me voilà Chatel et l'instant après, Madame de Rouville. On n'a pas le souci des détails ici. La vie est trop courte et trop intense.

Au seuil de la chapelle, lorsqu'on me félicitait, trois personnes m'ont dit que je ressemblais à Aimée, la première femme du Sieur de Rouville. Je m'explique maintenant pourquoi il m'a si vite acceptée. Cette ressemblance lui donne l'illusion de reprendre sa vie au point où elle a été brisée. Il était en voyage de chasse lorsque les Iroquois ont brûlé sa maison et massacré sa femme et son fils; la servante huronne a fui dans la forêt avec les deux autres enfants. Et par miracle, cette épouse, qu'il se reproche de n'avoir pas bien défendue, lui est rendue grâce à une malheureuse ressemblance. Le sieur de Rouville va avoir la chance inouïe de refaire sa vie littéralement.

Cela explique le don du mousquet, et aussi le découragement de ton amie. Non contente d'avoir été une fiancée «d'occasion», voilà que je deviens une épouse de «seconde main». Nous partons immédiatement en canot pour le sud de la région où mon mari a une maison, un champ et ses terrains de chasse. En route, nous prendrons ses deux enfants hébergés dans une famille. Une vieille Huronne, qui était la servante de sa première femme, nous accompagnera. Et nous passerons l'hiver (qu'on dit long et froid) dans un coin perdu de la forêt.

Tout cela était ce matin. Me voilà maintenant revenue chez les sœurs de la Congrégation où je passe l'après-midi pendant que mon époux achève de préparer notre départ, pour demain à l'aube. Il semble que tous se soient dispersés sitôt après la cérémonie, car personne ne peut se permettre de perdre une journée de travail, même pour assister à un repas de noces.

Je me suis retrouvée à Bon-Secours, avec ordre de fermer mes coffres et de ne garder que ce qui servirait à mon voyage demain. À la dernière minute, mon seigneur et maître a jeté par-dessus son épaule:

— Vous pouvez aussi conserver quelques parures, car il y aura une danse en notre honneur, ce soir. Je viendrai vous chercher à huit heures.

N'est-ce pas galant? Ne suis-je pas choyée?

Je me laisse ballotter par les événements, indifférente à tout, trop dépaysée pour avoir des réactions, trop ignorante pour nourrir des espoirs. Que sera cet hiver, mon premier en Nouvelle-France, entre ce seigneur silencieux, cette Huronne taciturne et les enfants de cette Aimée dont je prends la place? Tu le sauras dans un an. Adieu, Marie. Que Dieu nous garde.»

12

«Il y aura une danse en notre honneur.» Jeanne se pose bien des question à ce sujet, mais mademoiselle Crolo, vivant retirée du monde social, ne peut l'éclairer.

La jeune fille penchée sur son coffre cherche en vain «quelques parures». Toutes ses robes sont grises, et la notion de coquetterie de Mère de Chablais, c'est une coiffe blanche et un col empesé de même couleur.

Jeanne Chatel n'a jamais été de celles qui se cassent la tête sur un problème insoluble. Elle prend le châle espagnol et le drape sur ses épaules, à la place du fichu blanc qui est de mise pour toute femme modeste. Elle s'assure que son bonnet blanc cache bien ses cheveux. Puis elle va s'asseoir au coin de l'âtre pour attendre son mari.

— Nous finissons par le commencement, pense-t-elle avec amertume. Il me mène au bal après m'avoir épousée, et il m'a épousée sans me connaître.

Sœur Crolo, effarée, proteste contre la tenue de la fille du Roy.

— Ces couleurs voyantes ne sont pas de mise, pour une fille modeste.

— Ma mère, est-ce que mon devoir n'est pas de plaire à mon époux?

— Vous lui plairez par vos vertus.

Jeanne a un rire sarcastique.

— Alors, il va devoir se contenter de peu.

À ce moment, un militaire se présente à la porte de l'école et salue courtoisement la jeune femme:

— Madame, je suis le lieutenant Pierre de Tournon qui a servi de témoin à votre mariage. Le sieur de Rouville m'a demandé de vous conduire à la danse, car il est retardé par des affaires urgentes. Il nous rejoindra plus tard chez le gouverneur. C'est un grand honneur pour moi.

— Comment? s'exclame Jeanne avec horreur. Le bal a lieu chez le gouverneur? Mais c'est terrible. Je n'ai ni la toilette ni les manières qu'il faut pour une pareille fête. Je ne peux y aller.

— Au contraire, madame, proteste le galant militaire en regardant d'un œil approbateur la silhouette bien tournée dans le châle qui donne de l'éclat à la figure pâle. Vous serez la reine de la soirée, et pas seulement parce que vous en serez l'héroïne.

Jamais l'orpheline n'a entendu si beau discours. Sans parole, pour une fois, elle laisse le jeune homme l'aider à s'envelopper dans la grande cape grise qui est le manteau de novices comme celui des filles du Roy. Posant sa main sur le bras tendu de son escorte, comme si elle avait fait ces gestes toute sa vie, madame de Rouville, la tête haute, sort avec le bel officier. C'est un mari comme cela qu'il lui aurait fallu, empressé, éloquent et visiblement éperdu d'admiration. D'un pas rapide, ils suivent la route qui conduit au fort, et Jeanne remarque les deux soldats en armes qui les escortent. On ne peut même aller au bal sans risquer d'être scalpé, à Ville-Marie.

Tout en marchant dans les souliers de cuir trop neufs, la pupille de Marguerite Bourgeoys a bientôt des inquiétudes beaucoup plus terre à terre. Elle ne sait pas danser, et n'a jamais de sa vie assisté à une réunion mondaine. Dix fois, elle est tentée de rebrousser chemin et de courir se réfugier dans l'école Bon-Secours. Son orgueil l'en empêche. Elle va lui montrer, à ce sieur de Rouville trop surmené pour se préoccuper de sa femme le premier jour de son mariage, que Jeanne Chatel peut très bien se tirer d'affaire.

Les sentinelles saluent les couples qui pénètrent l'un après l'autre dans l'enceinte du fort. Des torches de résine et des lanternes éclairent la nuit chaude. Près de la muraille, le gouverneur Monsieur François-Marie Perrot, revêche et hautain, et son épouse, guère plus aimable, accueillent leurs invités. Le lieutenant et Jeanne échangent avec eux de profonds saluts.

Déjà, des couples dansent gaiement sous les étoiles, au milieu du terrain de manœuvre du régiment. Un orchestre composé de trois musiciens joue des airs entraînants. Sous un arbre, de grands pots de bière d'épinette attendent les invités assoiffés. Un peu plus loin, on sert l'eau-de-vie.

Jeanne est soulagée. Elle avait craint un grand bal de la cour, avec toute la pompe et l'étiquette traditionnelle. Cette atmosphère de franche gaieté la rassure un peu.

— Voici la mariée, crient les invités en interrompant la sarabande. Des exclamations joyeuses saluent cette déclaration.

Un bruyant luron annonce:

— La mariée ouvre le bal.

Aussitôt, un cercle se forme autour des nouveaux arrivants. Les musiciens attaquent un rythme endiablé, et le lieutenant, après avoir lancé la cape de Jeanne sur un banc de bois, lui tend les deux mains.

— Je ne sais pas danser, avoue la jeune femme, confuse.

— Suivez-moi, la rassure Pierre de Tournon. Faites comme moi et personne ne remarquera rien. Ils sont bien trop occupés à vous admirer ou à vous envier.

Entraînant sa partenaire, le militaire la fait traverser le parterre en marchant en mesure. Alors, l'empoignant fermement des deux mains autour de la taille, il la fait tourner de plus en plus vite. Jeanne est souple et adroite, et possède un bon sens du rythme. Rapidement, elle est prise au jeu.

Peu à peu, d'autres couples entrent dans la danse. Légère et hors d'haleine, la nouvelle mariée virevolte entre les bras robustes, et sa timidité inhabituelle fait place à la joie de vivre. Son rire communicatif éclate, elle change de partenaire à toutes les deux minutes et passe d'un bras à l'autre avec insouciance. Le lieutenant de Tournon revient plus souvent qu'à son tour et ses compliments galants mettent le rose aux joues de la fille du Roy.

Ses yeux gris pétillent de plaisir. Elle renverse la tête, les mèches brunes s'échappent du sage bonnet blanc et reprenant leurs droits, elles frisent en boucles folles. La jupe grise tourbillonne, révélant des chevilles fines dans les bas blancs du trousseau. Jeanne ne le sait pas, car on s'est toujours efforcé d'en faire une fille modeste, mais elle peut être très jolie, lorsqu'elle est animée comme ce soir.

C'est ce que constate avec stupeur le sieur de Rouville qui surgit dans la fête, l'air sévère, les sourcils froncés, le fusil sur l'épaule.

Ce châle effarant, cette coiffure à la diable, cet abandon dans la danse, est-ce vraiment ce qui convient à l'épouse d'un seigneur digne et respecté? Et tous ces hommes suants et bruyants qui se disputent les honneurs de faire tourner sa femme au bout du bras. Sa mine orageuse lance une douche froide sur l'assemblée.

Les musiciens se taisent, les danseurs s'immobilisent. Le même bon vivant de tantôt s'exclame, car rien ne le rebute:

— Ah! Voilà le mari. Ce n'est pas trop tôt. Simon, tu dois faire danser ta femme.

Des cris d'approbation retentissent. Le nouveau marié doit s'exécuter. Il appuie avec soin son mousquet contre un arbre, et s'avance vers Jeanne qui s'est figée, encore essoufflée, à côté de son dernier partenaire, le plus empressé, le lieutenant de Tournon.

Avec une ironie glaciale, Rouville dit à son ami:

— Je te relève de tes fonctions. Elles ne semblent pas avoir été trop astreignantes.

— Tu m'as déjà chargé de missions plus pénibles, rétorque le militaire sans perdre contenance.

Se retournant vers Jeanne, il dit solennellement:

— Madame, c'est avec grand regret que je vous rends à votre époux. N'oubliez pas que je suis, à partir de ce soir, et pour ma vie, votre serviteur dévoué.

Jeanne, peu habituée à ces formules extravagantes, et toute confuse d'une telle audace devant son mari à l'air sévère, ne sait que répondre. Pierre, s'inclinant avec l'aisance d'un noble de la cour de Versailles, baise les doigts soudain glacés de sa partenaire. Éperdue, la jeune femme contemple avec stupeur sa main qu'elle oublie de laisser retomber. Elle croit vivre un roman. Un beau jeune homme a baisé la main de Jeanne Chatel, l'orpheline des Sœurs de la Congrégation, la petite fille du braconnier proscrit.

Une voix narquoise la tire de sa paralysie.

— Puis-je vous arracher à vos rêves, et me permettez-vous de prendre cette main consacrée, pour vous faire danser? Nos amis le réclament.

En effet, des applaudissements et des appels les poussent à l'action. On semble bien aimer le sieur de Rouville, malgré ses airs revêches. Les cris fusent, familiers:

— Vas-y, Simon. Montre-nous le pas des Iroquois.

— Ta femme danse bien, Rouville. Il n'y a que toi qui ne le sache pas encore.

— Danse, mon vieux. Tu ne danseras pas souvent cet hiver.

Sous les quolibets affectueux, la figure bronzée du nouvel époux se détend dans un sourire qui découvre des dents éclatantes.

Ainsi, pense Jeanne amèrement, il sait sourire. Mais seulement pour les autres.

Penchant sa haute taille, Simon murmure:

— Madame, vous reste-t-il assez de forces pour m'accompagner?

Décontenancée, elle incline la tête sans répondre.

La musique reprend. Jeanne se sent enlevée par une poigne de fer. Simon la serre beaucoup trop fort, et il est très difficile d'être légère dans ces conditions. Soudain raide et gauche, la jeune femme manque le pas et trébuche. Elle fulmine intérieurement d'être toujours prise au dépourvu devant cet homme sombre et moqueur.

La contredanse paraît interminable à la malheureuse. Simon suit les figures sans effort, mais semble préoccupé, et on voit qu'il pense à autre chose, déjà.

Dès la musique finie, il l'entraîne à sa suite, sans lui demander son avis. Il jette la cape grise sur les épaules de sa femme, empoigne son mousquet et après un signe de la main à l'assemblée en général, il se dirige vers la porte.

Le gouverneur, après son apparition exigée par le protocole, s'est réfugié chez lui, fuyant ces misérables colons qu'il méprise. La fête est d'ailleurs devenue beaucoup plus joyeuse après son départ.

Simon s'éloigne à grands pas, obligeant Jeanne à courir pour le rejoindre. Croit-il qu'elle va se laisser traîner en laisse, comme un petit chien docile? C'est pourtant ce qu'elle fait, maugréant tout bas. Impatient, il se détourne à demi, et ralentit son allure.

Dès qu'ils franchissent le mur du fort, entre les sentinelles qui les saluent, Simon fait entendre un sifflement modulé. Aussitôt deux silhouettes se détachent de l'ombre et leur emboîtent le pas. Le brave sieur de Rouville lui-même sent le besoin d'une protection au cœur de

Ville-Marie? Que lui faudra-t-il, dans son domaine isolé? Une armée sur le pied de guerre?

Une chouette hulule au loin, et une autre plus près. L'âme de braconnier de l'orpheline ne fait qu'un tour. Ces chouettes ont peut-être des plumes, mais elles n'ont pas d'ailes, cela est évident.

Simon s'est arrêté près d'un bouquet d'arbres, et emportée par l'élan, Jeanne bute contre le large dos qui lui barre la route.

Les deux hommes qui les suivaient semblent soudain évanouis dans la nuit. Jolie escorte en vérité. Des branches s'écartent sans bruit, de chaque côté d'eux. Ils sont cernés.

— C'est bien ma chance, être scalpée le soir de mes noces, se dit Jeanne dont le cœur bat à grands coup.

— Donnez-moi un couteau, souffle-t-elle à Simon d'un ton impérieux.

Elle veut au moins avoir la chance de pouvoir se défendre.

Elle maudit la coquetterie qui l'a empêchée d'apporter son mousquet neuf au bal, oubliant qu'elle ne sait pas encore comment s'en servir.

Le sieur de Rouville, s'il l'a entendue, ne le montre pas. Il n'a pas levé son arme mais pousse à son tour le cri désolé de l'oiseau nocturne.

Une odeur rance, inoubliable, celle de la graisse d'ours, assaille les narines de la jeune femme. Deux Indiens surgissent devant eux. Son mari lui serre fortement le bras. Est-ce pour l'empêcher de crier? Il n'a pas à craindre. Ce n'est pas cette fille-là qui va céder à l'hystérie. Elle rassemble ses forces et sa rage pour un combat final.

À ce moment, un nuage glisse, laissant enfin la lune

éclairer la scène, découpant les traits accusés des Peaux-Rouges, les plumes qui les coiffent, le visage calme du sieur de Rouville. Celui-ci relâche sa poigne sur son bras et lève la main en disant:

— Hugh! d'un ton guttural.

Une longue conversation s'engage entre les trois hommes, dans une langue barbare. Simon semble donner des instructions. Il pointe du doigt vers le fleuve. Les autres répondent par des questions. La palabre se prolonge et Jeanne, vidée d'énergie par cette alerte et par toutes les émotions de la journée, chancelle de fatigue.

Sans perdre une syllabe de sa conversation, son mari qui semble tout voir, l'entoure d'un bras vigoureux et la maintient contre sa hanche dure. Émue, elle croit à un geste de tendresse. Mais il la secoue un peu, comme pour la ramener à l'ordre et la relâche aussitôt. Il ne veut pas être déshonoré par une femme faible devant ses amis indigènes. Jeanne se raidit. Elle mourra avant d'avouer sa faiblesse, à l'avenir.

Avec un dernier grognement, les deux Indiens semblent rentrer sous terre. Elle cligne des yeux, tend l'oreille. Ils sont seuls. Une odeur caractéristique qui flotte dans l'air lui prouve qu'elle n'a pas rêvé cette rencontre.

Les doigts de fer se referment sur son bras, et elle est de nouveau propulsée en avant, à la remorque de son seigneur. On est loin de la courtoisie respectueuse du lieutenant de Tournon.

Un instinct fait tourner la tête à Jeanne. Leurs deux protecteurs ont repris leur poste, maintenant que le danger est passé. L'un est Indien, le second marche en boitant. C'est tout ce qu'elle peut en deviner.

Une lueur jaune à la fenêtre de l'école Bon-Secours

témoigne du zèle de mademoiselle Crolo qui attend sa pensionnaire en récitant son chapelet au coin de l'âtre. Ainsi, c'est au couvent que la nouvelle madame de Rouville couchera ce soir encore.

Visiblement préoccupé, Simon daigne expliquer de sa voix brève:

— Je dois terminer mes préparatifs. Un de mes hommes viendra vous chercher à l'aube. Votre coffre est rendu au quai. Soyez prête, nous partirons très tôt.

— Je serai prête, répond l'orpheline avec dignité. Une velléité de révolte pointe sous son calme. Elle demande candidement:

— Avez-vous d'autres ordres à me donner?

— Mais... non, madame, répond une voix perplexe dans le noir.

— Alors, bonsoir, monsieur mon mari. À demain.

Dignement, la fille du Roy ferme la porte au nez de son détestable époux. Pour une fois, elle a le dernier mot.

Jeanne fait une révérence à la religieuse somnolente, puis elle grimpe, sans en voir une marche, l'escalier raide, presque une échelle, qui mène au grenier de l'étable qu'on a baptisée école et dont Sœur Bourgeoys est si fière.

L'orpheline refoule ses larmes, bien résolue à ne pas se laisser vaincre par la sentimentalité. Heureusement, cette épreuve a été épargnée à Marie du Voyer, si sensible et vulnérable. Jeanne Chatel est forte, et rien ne l'atteint. Étouffant un sanglot, la jeune femme ramène la couverture sur sa tête, et ferme les yeux, bien décidée à dormir. Elle aura besoin de toute son énergie pour faire face aux jours qui viennent.

13

Apparemment, la conception de ce qu'est l'aube varie d'un continent à l'autre. C'est ce que conclut Jeanne, frileusement drapée dans sa cape. Il fait nuit noire. Le sifflement maintenant familier a retenti sous sa fenêtre, et l'a trouvée prête. Pour plus de sûreté, elle avait dormi tout habillée. Son guide est un petit homme à cheveux gris dont la figure édentée et ridée est couronnée par un énorme bonnet de fourrure. Sa chemise à frange est noire de la suie d'innombrables feux de camp. Il parle peu et a rassemblé son courage pour lui annoncer brusquement:

— Je suis Mathurin la Patte et le sieur de Rouville m'a envoyé vous quérir.

Elle suit à l'aveuglette le guide boitillant dont une cheville est tordue à un angle anormal, ce qui explique son surnom. Parfois, dans les passages difficiles, il se sert de son long fusil comme d'une béquille, mais son infirmité ne réduit pas son allure. Jeanne s'essouffle à sa poursuite, débalancée par le lourd sac de médicaments qui lui bat le flanc. Pierre Boucher écrivait dans son livre que «la squaw marchait derrière son homme en portant les paquets». La jeune Européenne commence à croire que cette habitude s'est répandue chez les Blancs aussi. Heureusement qu'elle n'a pas de nombreux bagages.

Le châle, les bas blancs, les souliers vernis et la coiffe empesée ont disparu dans ses vastes poches. En voyageuse aguerrie, elle a enfilé de gros bas de laine, mis ses vieux souliers inusables et entouré ses cheveux d'un foulard noir. Dans la pénombre du petit jour glacial, elle se sent fade et sans attraits.

Heureusement, dans le brouhaha du départ, son mari, galant comme toujours, n'a pas le temps de lui adresser un regard. Il ne manque cependant pas sa chance de donner des ordres. Il indique un grand canot déjà chargé de sacs et de son coffre.

— Asseyez-vous là, madame, sur ces couvertures, et ne bougez plus. Nous traverserons le fleuve, et tout mouvement est dangereux.

«Je le sais, a envie de hurler Jeanne. Imaginez-vous, cher maître, que j'ai voyagé en canot, sans le faire chavirer, pendant cinq jours, entre Québec et Ville-Marie.»

Sa révolte ne passe pas ses lèvres. Des coureurs des bois, des Indiens prennent place dans huit embarcations. Elle est la seule femme, le seul poids inutile de l'expédition, à part les bagages dont pourtant on fait grand cas.

Une lueur timide pointe à l'est. L'air est piquant et sent le sapin. Des vagues courtes, crêtées d'écume, agitent le fleuve. Soudain, au pas de course, un officier surgit sur le chemin qui descend du fort. Il agite les bras. C'est Pierre de Tournon, qui est venu les saluer, et les hèle de loin.

Simon, assis à l'avant du canot où est installée Jeanne, daigne prendre un air aimable, mais il ne peut évidemment s'empêcher de railler.

— Quel héroïsme pour un soldat du roi de se lever si tôt en notre honneur.

— Je ne l'ai pas fait pour toi, assure l'officier. Il se tourne vers Jeanne. C'est à Madame que je viens présenter mes vœux. Toi, tu t'en tires très bien sans ma bénédiction.

Soudain, sérieux, le sieur de Rouville ordonne:

— Tu diras à de Preux que j'ai... que nous avons regretté son absence au mariage. Dès son arrivée, il faut qu'il sache que je l'attends pour aller là-bas.

— Il le saura, promet le lieutenant qui ne s'offusque apparemment pas du ton impérieux. Pourquoi faut-il toujours que Simon s'adresse à tous comme s'ils étaient ses subalternes, et pourquoi personne, à part Jeanne, ne semble-t-il en prendre ombrage?

Nous partons, annonce le chef de l'expédition en levant son aviron au-dessus de sa tête.

Pierre s'incline devant la jeune femme:

— Au revoir, madame. Bon voyage et bon courage.

— Merci, murmure Jeanne, émue.

Elle voudrait bondir sur le quai, se jeter dans les bras du jeune militaire et lui crier: «Gardez-moi ici, avec vous. Ne me laissez pas partir pour des endroits sauvages avec tous ces muets qui ne me voient même pas.»

Elle essaie de s'imaginer la figure que ferait son seigneur et maître devant cette exhibition désastreuse. À cette idée, une expression malicieuse détend ses lèvres, et c'est l'image que le lieutenant admiratif garde d'elle: une femme courageuse qui va affronter son destin, le sourire aux lèvres.

Impulsivement, Jeanne agite la main en signe d'adieu. Aussitôt, de l'avant, lui arrive un grognement désapprobateur:

— Ne bougez pas, je vous l'ai déjà dit.

Regardant le large dos qui lui bloque l'horizon, Jeanne, révoltée, tire la langue à son mari, le digne sieur de Rouville.

14

Personne n'a pris la peine de mettre la passagère au courant de leur itinéraire. Elle apprendra plus tard que cette expédition qu'on était si anxieux d'entreprendre est en même temps un voyage d'affaires, comportant bien des détours et de nombreux arrêts.

Au lieu de se diriger vers Sorel et l'embouchure de la rivière des Iroquois, la flottille traverse le fleuve en diagonale et descend dans la direction opposée. Étendue et confortablement appuyée sur des ballots de fourrure et des couvertures, la jeune femme, sa première curiosité passée, ferme les yeux et s'endort.

Le soleil brûlant de midi la réveille. Ils longent la berge déserte, au sud du fleuve. Elle s'étire aussi discrètement que possible et tourne la tête pour regarder derrière elle. Les canots suivent comme en remorque.

Mathurin lui décroche un large sourire édenté, qui la fait rire à son tour. Celui-là au moins ne rationne pas son amabilité.

Devant elle, apparemment inlassable, Simon avironne toujours du même mouvement régulier. Elle a l'impression qu'il pourrait aller ainsi pendant des jours sans ressentir la fatigue. Longuement, elle examine ce qu'elle peut apercevoir de cet étranger qui est son époux. Ses épaules musclées surmontent des hanches minces, et ses longues jambes ne semblent pas souffrir de leur position inconfortable. Assis sur le bord de son banc, il a un genou en terre et l'autre dressé devant lui, comme s'il faisait une génuflexion. Le long de son pied, reposent son inséparable mousquet et, à côté, la large ceinture de cuir où sont attachés un poignard dans son étui, une hache au tranchant bien aiguisé et la corne recourbée qui contient sa poudre.

Il est revêtu, comme au jour de l'arrivée de Jeanne à Ville-Marie, d'un habit de cuir souple, un pantalon bordé d'une longue frange échiffée et d'une chemise pareillement décorée, le long des manches et sur les côtés. Plus tard, la curieuse apprendra que ces franges ne sont pas une simple coquetterie, mais permettent, en cas de pluie, au cuir de s'égoutter plus rapidement.

Les cheveux noirs et raides, que Simon porte trop courts pour la mode de l'époque, n'ont jamais dû connaître de perruque, Jeannne le devine. Pour l'instant, et malgré la chaleur, ils sont coiffés de l'inévitable bonnet de fourrure à longs poils qui complète l'uniforme de tous les coureurs de bois. Ses pieds sont chaussés de hauts mocassins qui montent jusqu'aux genoux. De celui de droite émerge le manche d'un second couteau. Il faudrait attendre longtemps pour surprendre cet homme sans ses armes. Le danger doit être familier pour lui.

Songeuse, Jeanne regarde le dos de la chemise. Le daim a conservé sa couleur beige. Est-ce parce qu'elle est plus neuve, ou simplement plus propre que celle de Mathurin? Qui a confectionné ce vêtement, et qui a réparé les nombreux accrocs qui le déchirent?

Près le l'épaule droite, une longue couture zigzague, dont les bords sont encore noircis. Était-ce de sang? Elle a été minutieusement raccommodée, avec des petits points réguliers et un gros fil noir. Découragée, Jeanne constate une fois de plus qu'elle ne sait rien de cet étranger dont elle porte le nom.

Au même instant, d'un mouvement souple, sans débalancer le canot, Simon tourne la tête et l'examine. La jeune femme éprouve un choc. Dans la figure bronzée au nez impérieux, les yeux qui la dévisagent sont verts, d'une teinte pâle et limpide, comme elle n'en a jamais vus. Est-ce ce contraste qui confère au regard cet air glacial et énigmatique?

Pourtant, le ton est assez cordial lorsqu'il s'informe:

— Vous n'êtes pas trop fatiguée?

Jeanne ne peut s'empêcher de rire.

— Fatiguée? Mais je suis la seule qui ne travaille pas.

Cette logique décontenance son interlocuteur. Il ajoute:

— Si vous avez faim, ouvrez ce sac à votre droite. Vous pouvez boire l'eau du fleuve, mais évitez les mouvements brusques.

Le soleil de midi plombe sur leurs têtes. Avec précaution, Jeanne détache sa cape et son fichu et plonge sa main dans le sac indiqué. Elle en sort un morceau de pain et un morceau de venaison qu'elle dévore avec appétit. Elle puise l'eau dans le creux de sa main.

— Voulez-vous quelque chose? offre-t-elle à Mathurin. Il secoue la tête et lui montre une sorte de cuir dans lequel il mord, nullement handicapé par son manque de dents.

— Pemmican, explique-t-il, la bouche pleine. Jeanne reconnaît le mets que lui offraient les sulpiciens en venant de Québec.

Simon dépose son aviron, et enlève son bonnet de fourrure. Il passe sa chemise par-dessus sa tête, et se retrouve, torse nu, devant son épouse effarée. Cet homme n'est-il donc pas civilisé, et oublie-t-il qu'il est en présence d'une dame? Apparemment oui, car il replonge son aviron dans l'eau et entonne d'une voix forte une chanson entraînante.

À la claire fontaine
M'en allant promener,
J'ai trouvé l'eau si belle
Que je m'y suis baigné.

Mathurin enchaîne d'une voix de fausset et, des autres canots, les voyageurs se joignent au chœur. Jeanne n'a jamais rien entendu de si beau que ce chant français scandé en cadence par des hommes rudes pendant que les embarcations volent sur les eaux miroitantes.

Timidement d'abord, puis avec plus d'assurance, la jeune femme joint sa voix à celle des autres. Elle chante juste mais trop fort, lui ont toujours reproché les religieuses. Ici, le vent emporte ses paroles, et absorbée par son plaisir, les yeux levés vers le ciel sans nuage, elle ne voit pas le regard inquisiteur que son mari tourne vers elle.

Chante, rossignol, chante,
Toi qui as le cœur gai.
Lui y a longtemps que je t'aime,
Jamais je ne t'oublierai.

Le soleil frappe le dos bronzé dressé devant elle. Les muscles jouent sous la peau brune. Sur l'épaule droite, une longue cicatrice reproduit exactement la déchirure de la chemise. Qui l'a raccommodée, cette coupure-là? La même personne qui a recousu le vêtement?

Doucement, Jeanne se penche et tire vers elle la tunique de cuir retombée près de ses pieds. Elle examine la reprisure dans le dos et demeure rêveuse. L'ouvrière a refermé les deux côtés de l'accroc par un ourlet cousu avec de longs et forts cheveux noirs.

Lui y a longtemps que je t'aime,
Jamais je ne t'oublierai.

Qu'il y a loin de la Rochelle à Ville-Marie.

15

Les deux premiers soirs, les voyageurs abordent près des ruines calcinées de petits fortins de bois rond. On tire les canots sur la plage, et les voyageurs tendent des couvertures au-dessus de deux embarcations, afin de ménager un abri pour Jeanne. Quelques-uns assemblent du bois et allument le feu. D'autres s'éloignent avec leur mousquet et reviennent après une heure avec du gibier ou même un petit chevreuil.

«C'est le royaume de la chasse, pense l'orpheline, grand-père devrait y faire son paradis.»

Accompagné d'un compagnon et d'un ou deux Indiens, son mari s'éloigne sans un mot, d'un pas rapide et silencieux. S'il ne la juge pas digne de ses confidences, elle ne posera certainement pas de questions, décide Jeanne rancunière.

Heureusement, avec sa chaleur habituelle, la jeune femme ne tarde pas à vaincre la timidité de ses compagnons de voyage. C'est le respect pour l'épouse du sieur de Rouville qui les paralysait. En la voyant si enjouée, curieuse de tout, prête à rire d'elle-même et des autres, ces hommes taciturnes se transforment peu à peu. La camaraderie des feux·de camp les rapproche.

Ils répondent à ses questions en grand détail, s'interrompant les uns les autres, mettant leur science de la nature au service de cette jeune Française si simple et naturelle.

Un garçon de son âge, surnommé avec à propos le Rouquin d'Amiens, semble avoir voué une admiration sans borne au sieur de Rouville. Par lui, Jeanne apprend des détails fascinants.

— Je suis venu sur le même bâteau que le Bâtisseur. Il était officier et j'étais mousse.

— Qui est-ce, le Bâtisseur?

— C'est M'sieu Rouville, je veux dire votre mari. Il a aidé à bâtir quasiment tous les forts de la région. C'est sa spécialité.

En confidence, le garçon ajoute:

— Il espérait bien avoir la paix cet hiver au moins. Mais Frontenac, le nouveau gouverneur, a chargé Cavelier de la Salle de construire un fort au lac Ontario pour l'été prochain. Et comme il fallait s'y attendre, de la Salle a demandé à M'sieu Rouville de tout préparer, comme d'habitude. Le message est arrivé y a une semaine. M'sieu était furieux. Il n'a pas «décoléré» pendant deux jours. Il vous attendait, et ça ne faisait pas son affaire, évidemment. C'est un bien mauvais «adon».

— Est-ce qu'il ne pouvait pas refuser?

— Ben, voyez-vous, madame, on refuse pas beaucoup, ici, en Nouvelle-France. Faut que chacun fasse sa part.

— Et la part de... mon mari, c'est d'ériger des forts?

— Ça, et de poursuivre les Iroquois. Ils en ont une peur bleue, les sauvages de Ongué Hegahrahoiotié.

Intriguée, Jeanne essaie de répéter les syllabes barbares.

— Ça veut dire: «L'homme aux yeux perçants». C'est un surnom comme ça, que les Onontagués lui ont donné.

Pendant un instant, Jeanne compatit avec les Iroquois.

— Et toi, le Rouquin, quel est ton vrai nom?

Le garçon rougit et penche sa tignasse couleur de flamme. Il enfonce son doigt dans les aiguilles de pin.

— Bien, je ne sais pas trop bien. Je suis comme on dit, un enfant trouvé. Mon père... j'ai pas eu... enfin on ne connaît pas...

Sa voix s'étrangle sur cet aveu incriminant. Maintenant, la jolie madame ne le regardera plus, ou se moquera de lui, comme tout le monde à part M'sieur Rouville.

Mais Jeanne a hérité de la largeur d'esprit de son aïeul. Elle répète la boutade avec laquelle son grand-père accueillait les médisances de ses contemporains au sujet de l'illégitimité:

— L'important, Rouquin, c'est que toi, tu sois là.

Une expression perplexe se répand sur le visage rousselé. En remuant les lèvres, le garçon répète la phrase. Puis, sa figure s'éclaire, il redresse la tête et semble secouer un poids de ses épaules:

— C'est ben vrai ça. L'important, c'est que moi, je sois là. C'est donc ben vrai.

Deux minutes après, Mathurin, appuyé à un tronc d'arbre, ordonne d'un ton autoritaire:

— Hé, Rouquin. Va chercher une autre «brassée» de bois.

— Vas-y toi-même, paresseux, rétorque le garçon qui tient tête à quelqu'un pour la première fois de sa vie.

Ses poings se serrent, ses yeux brillent. Comme il est fort et semble décidé, la Patte renonce à la lutte et s'éloigne en haussant les épaules. De côté, le Rouquin jette un coup d'œil triomphant à Jeanne qui lui sourit. Il n'aura plus jamais honte de ses origines, et on n'emploiera plus ce levier pour abuser de lui.

Chaque soir, Jeanne se glisse dans son abri solitaire et s'enroule dans sa cape. Elle regarde danser les flammes et écoute le bruissement de la forêt dans laquelle son époux se balade, comme d'autres dans leur jardin. Il rencontre des Indiens alliés, des trappeurs et des chasseurs, et leur donne des rendez-vous pour le printemps.

Autour d'elle, les campeurs montent la garde, l'entourent du cercle enchanté de leur protection.

Les voyageurs doivent rentrer très tard, car malgré sa vigilance, jamais elle ne les entend arriver. Lorsqu'elle regarde vers les braises rougeoyantes, à l'aube, elle voit son mari et ses compagnons étendus sur le sol. Un jour, peut-être, le Bâtisseur prendra-t-il le temps de bâtir un peu son propre foyer?

Finalement, les canots font demi-tour et remontent le fleuve. Toujours laconique, Simon joue le rôle de guide. Il pointe de son long bras un amas de cabanes sur la rive et annonce:

— Longueuil!

On s'y arrête un soir. Plus loin, la seigneurie des îles Percées, qui a été concédée à Pierre Boucher, l'auteur du livre de chevet de Jeanne. Malheureusement, cet homme occupé est absent, et la jeune femme n'a pas le plaisir de le rencontrer pour le féliciter pour son ouvrage si intéressant. À midi, sous une pluie fine et persistante, les canots abordent enfin au fort de Sorel, à l'embouchure du Richelieu. Le Rouquin a expliqué fièrement à Jeanne, la veille:

— C'était un des premiers forts qu'on a construits, le Bâtisseur et moi. C'était en 1665. Le vieux fort avait été brûlé, et M. de Saurel a demandé à votre mari de l'aider. M'sieu Rouville était jeune encore, mais c'était déjà un chef, et tous les hommes lui obéissaient. Il était capitaine dans la milice à ce temps-là.

— Mais toi, Rouquin, tu devais être un enfant?

Le garçon se rengorge.

— J'avais douze ans déjà. Ça faisait deux ans que je suivais M'sieur partout. Y m'avait débarqué du bateau où on me maltraitait. J'étais déjà fort et je pouvais faire ma part. Alors, quand y m'a dit: «Arrive, Rouquin, on va construire un fort pour Monsieur de Saurel», je suis venu. Y me mènerait au bout du monde, comme ça, et tous ceux qui le connaissent.

— Pas si vite, a pensé Jeanne sans le dire. Il y a ici quelqu'un qui aurait des réserves. Et pourtant, dut-elle admettre avec amertume, que penses-tu que tu fais en ce moment, pauvre sotte, sinon suivre cet homme au bout du monde, toi aussi?

La garnison du fort Sorel accueille avec joie le sieur de Rouville et ses compagnons.

Debout à côté de son mari, Jeanne le voit qui cherche quelque chose des yeux tout en répondant aux questions des dignitaires locaux.

Finalement, il parvient à se libérer et entraîne son épouse vers une petite maison de rondins, blottie près de la muraille. Il marche vite, et une fois encore, Jeanne doit trottiner sur ses talons. Il s'arrête sur le seuil et frappe brusquement. Ses sourcils froncés, sa mine sombre n'augurent rien de bon pour ceux qui tardent à répondre.

La porte s'ouvre, craintivement, puis une grosse femme enveloppée dans un tablier crasseux leur barre l'entrée de la maison.

— Où sont-ils? demande rudement Simon.

— Je ne vous attendais pas si tôt, marmonne la matrone.

— Ça se voit. Où sont-ils? persiste la voix dure.

La femme s'efface à regret et indique l'intérieur mal-propre de sa misérable cabane.

— Entrez. Ils sont là. J'en ai pris bien soin comme vous...

Sans s'occuper d'écouter la suite, Simon incline la tête et franchit la porte trop basse. Indécise, Jeanne le suit. Sous la fenêtre, deux enfants attendent debout, l'air effrayé. Le petit garçon entoure la fillette d'un bras pro-tecteur. Ils sont sales, maigres et vêtus de haillons.

Sans un mot, Simon s'agenouille devant eux et les regarde. Il étend un doigt et caresse le menton de la pe-tite, les cheveux ébouriffés du gamin.

La voix mielleuse ordonne de la porte:

— Les enfants, saluez votre père.

Les deux petits s'inclinent docilement, sans changer d'expression. Jeanne, qui a vécu au milieu d'orphelines, sent son cœur se contracter devant la crainte et la passi-vité inscrites sur ces visages d'enfants malheureux.

Simon, toujours agenouillé, tourne vers elle une figure tourmentée et elle lit tant de détresse dans les yeux pâles que pour la première fois, elle éprouve de la compassion pour cet homme fier et dur.

D'une voix basse, il essaie d'expliquer:

— Vous voyez pourquoi... vous comprenez qu'il fallait...

Ce qu'elle voit et comprend, c'était la nécessité de trouver une nouvelle épouse au sieur de Rouville, une âme dévouée, n'importe qui, pour sortir au plus tôt les enfants de cette situation.

L'homme se redresse et dit brusquement:

— Nicolas, Isabelle, voici votre nouvelle mère.

— Bonjour, madame, murmure le garçon en levant vers Jeanne des yeux verts méfiants sous la frange de cheveux noirs. Il a cinq ans, et on lui en donnerait beaucoup moins.

Isabelle, de deux ans plus jeune, tend une main timide vers Jeanne et murmure d'un ton incertain: «Maman?» comme si elle réapprenait un mot oublié.

Incapable de parler, la jeune femme se laisse tomber à genoux et ouvre les bras. Comme pour elle-même, autrefois, avec sœur Berthelet, la compassion fait fondre la réserve. Les enfants se blottissent contre elle, et d'un geste spontané, Jeanne serre contre son cœur les petits corps trop maigres. Ils le sentent confusément, ils ne seront plus jamais seuls.

Simon contemple un instant la scène, et son regard se voile de larmes. Puis sa colère reprend le dessus. Il se tourne, terrible, vers la mégère terrifiée.

— Je les emmène. Préparez leurs choses.

— C'est que, monsieur, pour la nourriture, je n'avais pas assez... j'ai dû...

— Vous avez tout vendu? Et pourtant je vous avais payé plus que suffisamment. Tant pis. Venez, madame. Suivez-moi, Nicolas et Isabelle. Nous partons.

Deux petites mains serrent à les briser les doigts de la fille du Roy. Elle sort, la tête haute, escortée des deux enfants qui ne la quittent pas d'une semelle. Le sieur de Rouville ferme la marche, son mousquet à la main. À ses yeux, tous les problèmes sont réglés. Il a reconstitué sa famille et la vie reprend son cours.

Immédiatement, ses responsabilités de Bâtisseur s'imposent à lui. On le réclame partout. Presque embarrassé, il tend quelques pièces d'argent à Jeanne:

— Vous pourrez peut-être leur trouver des vêtements avec ceci? Je dois vous quitter pour la journée... Je reviendrai au soir tombant.

Devant cette attitude typiquement masculine, la jeune épouse hausse les épaules. Évidemment, elle fera ce qu'il faut, mais un père s'en tire bien facilement.

Tout l'après-midi, elle déploie des réserves d'énergie et toutes les ressources de son éloquence pour arriver à laver les enfants, à peigner leurs cheveux emmêlés, et pour leur procurer des vêtements propres et chauds. Dans ce pays où tout doit être cousu à la main et où rien ne se perd qui peut être transformé et récupéré, il ne saurait être question d'acheter du neuf. Une culotte ici, une chemise là, des bas ailleurs, petit à petit, elle rassemble des costumes confortables, sinon bien ajustés.

Les petits, éblouis de leur nouvelle élégance, osent à peine remuer. Les boucles blondes d'Isabelle s'échappent d'une jolie capeline bleue, et les cheveux raides de Nicolas, disparaissent sous un magnifique bonnet de fourrure semblable à celui de son père. Au cours de ses va-et-vient, Jeanne ne manque pas de consulter la «guérisseuse» officielle du fort, une bonne vieille trop heureuse de lui confier ses secrets et de lui donner des herbes curatives qui viennent s'ajouter aux médicaments offerts par Sœur Bourgeoys. Cette petite dame pourra faire beaucoup de bien avec son beau sourire et ses remèdes.

Simon, le soir venu, les aperçoit tous les trois, assis autour d'un feu de camp, dévorant en affamés les lièvres tués et apprêtés par la Patte. Le vieux trappeur, ému de retrouver les enfants qu'il a connus au berceau, affirme à Jeanne:

— C'était pité de les voir dépérir chez cette sorcière. Mais elle était la seule qui consente à s'en charger. Les gens d'ici en ont bien assez de leur propre marmaille. Le seigneur se morfondait d'inquiétude et il avait bien hâte à votre arrivée.

Retournant, sans le savoir, le fer dans la plaie, Mathurin ajoute:

— Ça ne sera pas long qu'ils vont vous prendre pour leur mère. Vous lui ressemblez assez pour être sa sœur. C'est-y drôle, le hasard, des fois? Le soir même de votre arrivée, Simon me disait: «La Patte, c'est comme si Aimée était revenue.» Il est bien chanceux d'en avoir trouvé deux comme ça dans une vie. Bien chanceux.

Le sieur de Rouville regarde ses enfants transformés et s'exclame:

— C'est à ne pas les reconnaître. Madame, vous avez fait des miracles.

Jeanne sourit modestement, retenant toutes les remarques acerbes qui lui montent aux lèvres.

Simon reste juste assez longtemps pour installer sa famille pour la nuit, dans le grenier de la maison du forgeron. Puis, il s'échappe de nouveau, laissant Jeanne dormir avec, littéralement, deux enfants sur les bras.

16

Si la jeune mère sans expérience avait craint le voyage en canot pour ses enfants, elle fut vite rassurée. Nicolas et Isabelle, en vrais coloniaux, savent que l'immobilité est essentielle sur l'eau.

La petite fille, étendue aux pieds de Jeanne, regarde le ciel sans bouger, pendant des heures, et le reste du temps, elle dort.

Nicolas, dans une autre embarcation, est aussi silencieux et placide. Cette sagesse même inquiète Jeanne qui en aurait été bien incapable à leur âge.

À l'intersection d'une petite rivière, une Indienne attend immobile, un sac sur le dos. À un geste de Simon, le Rouquin avance son canot jusqu'à la berge, et la femme s'y installe, sans un mot. Nicolas pousse un cri de joie et se dresse sur les coudes.

— Gansagonas!

— Silence, ordonne immédiatement son père. Docilement, le gamin se recouche et se tait.

— Qui est-ce? chuchote Jeanne, trop intriguée pour attendre.

Sans se retourner, Simon répond à mi-voix, brièvement:

— C'est la Huronne qui les a élevés. Ils ne l'ont pas revue depuis un an.

Elle est indignée de la cruauté de cette séparation et de la dureté de son mari qui prive les enfants des joies d'une réunion. La jeune femme doit se répéter de nouveau que ce Richelieu paisible sur lequel ils naviguent maintenant s'appelle aussi la rivière des Iroquois, et que c'est la route naturelle des guerriers rouges, lorsqu'ils viennent ravager la colonie.

Ce monde cruel et menaçant n'accorde de sursis qu'à ceux qui respectent ses lois de silence et de prudence. Plus les enfants apprendront tôt ces dures leçons, plus ils auront de chances de survivre.

Le soleil disparaît derrière la cime des sapins, lorsque les voyageurs sont hélés de la rive:

— Hé, Rouville! Bienvenue! Nous vous attendions.

Un nouveau mur de rondins trône au milieu d'une clairière. C'est le fort de Chambly, érigé en 1665, par la même équipe qui avait construit celui de Sorel. Le Bâtisseur, connu partout, attendu à chaque halte, est accueilli à bras ouverts.

Cette fois, un de ses bons amis, le capitaine Hubert de Bretonville, est l'hôte officiel.

Simon saute sur le débarcadère rustique et serre la main tendue. Puis, il se détourne et aide Jeanne, toujours ankylosée à la fin de la journée, à prendre pied à son tour.

D'un air de propriétaire, le sieur de Rouville présente:

— Voici Jeanne, mon épouse. Le capitaine de Bretonville a été un confrère de régiment, en Europe.

— Mes hommages, madame. Tout ce que vous voudrez connaître sur la jeunesse orageuse de votre époux il me fera plaisir de vous le révéler.

Devant la mine sombre de Simon, le capitaine éclate de rire.

— Voyez comme il tremble, madame. Je le tiens à ma merci, et je vais en profiter pour lui soutirer toutes espèces de faveurs. La première est l'honneur de vous recevoir sous mon toit.

— Il y a les enfants, monsieur, objecte Jeanne, confuse.

— Évidemment, il y a les enfants. Et il était grand temps, croyez-moi, qu'ils retrouvent un foyer. Mon épouse vous attend tous à la maison.

Familièrement, de Bretonville s'empare du bras de Jeanne et la guide à travers les humbles cabanes de Chambly. Nicolas et Isabelle surgissent à ses côtés et agrippent sa jupe d'une poigne ferme. Ils ont trouvé la sécurité et ne la lâchent plus.

Même la présence de la Huronne Gansagonas, qu'ils ont embrassée et qui leur emboîte le pas, ne leur fait pas oublier leur nouvelle mère.

Quelques femmes prennent le frais sur le pas de leurs portes ouvertes. L'une d'elles s'exclame avec une curiosité amicale:

— Oh! Les beaux enfants que voilà. Ils sont à vous?

— Oui, répond Jeanne, instinctivement. Ils sont à moi.

Elle tourne la tête pour apercevoir derrière elle Simon qui sourit d'un air satisfait.

«Pauvre Aimée, pense la fille du Roy. Comme elle a été vite oubliée et remplacée.» Jeanne serre les mains des petits, et pleine de remords, elle a l'impression de voler une morte.

L'arrivée à la maison du capitaine fut homérique. Thérèse de Bretonville, petite et rondelette, tourbillonnait dans un flot de paroles de bienvenue. En quelques phrases, elle avait disposé de chacun.

— Cher Simon. Allez au salon avec Hubert, fumer vos atroces pipes et boire un coup. Vous revivrez votre folle jeunesse. Madame, je vous garde avec moi. Il y a trop longtemps que je n'ai causé avec une Française authentique. Ma sœur Nicole, que voici, va se charger des enfants. Allez, mes mignons. Nicole va vous servir à dîner et vous montrer nos bébés chiens. Ils sont adorables, vraiment adorables.

Étourdie, Jeanne ne savait plus s'il s'agissait des chiots ou des enfants. Elle craignait de décevoir la charmante personne qui croyait évidemment trouver en madame de Rouville une femme du monde débordante de potins mondains.

Par-dessus son épaule, Thérèse lance un dernier trait, pour s'assurer de n'oublier personne.

— Vos gens peuvent manger et dormir à notre salle commune et votre Indienne trouvera des compatriotes à la cuisine. Venez, chère Jeanne. Je vais vous faire visiter mon «château».

L'orpheline n'avait pas à s'inquiéter. Même si elle avait connu tous les scandales de la cour, elle n'aurait pu en conter un seul, tant son hôtesse babillait. La maison était modeste, bien que plus grande et plus confortable que toutes celles que Jeanne avait vues depuis son arrivée.

— Mon père est très riche, confiait Thérèse sans fausse humilité. Il me gâte beaucoup.

— Vous avez des meubles superbes, réussit à placer la visiteuse avec admiration.

— Oui, c'est vrai. Nous avons mis quatre ans à les faire venir de France. Ils alimenteront probablement le prochain incendie allumé par les Iroquois. En attendant, il me plaît de les voir.

Ce rappel cynique du danger constant qui plane sur les forts isolés ne semble pas déprimer l'irrépressible Thérèse.

Elle conduit son invitée à une grande chambre généreusement éclairée, et dominée par un immense lit. Grâce au talent d'organisateur de son hôtesse, le coffre de la fille du Roy y est déjà rendu. Jeanne, reconnaissante, accepte l'offre d'un bain chaud. Deux Indiennes apportent l'eau de la cuisine.

Une heure plus tard, ses cheveux encore humides ondulant autour de sa figure brunie par le soleil, la jeune femme descend l'escalier. Un col blanc et les souliers de cuir complètent sa toilette.

— Venez, Jeanne, appelle madame de Bretonville. Nous passons à table.

Le repas fut joyeux et somptueux, le plus abondant auquel l'orpheline n'eût jamais assisté. Les plats d'argent, les coupes de cristal lui faisaient oublier le décor sauvage de l'extérieur. Le service impeccable fait par les Huronnes ajoutait une note incongrue au festin.

Assise en face de son époux, la jeune femme regardait discrètement quel ustensile il employait et imitait ses gestes. Simon, très à son aise, avait apparemment déjà vécu dans un tel luxe. La conversation des convives révéla de nouveaux aspects du caractère du Bâtisseur.

Voyant que Jeanne ignorait tout de son époux, Hubert entreprit de l'éclairer, malgré les coups d'œil éloquents de l'intéressé.

Simon de Rouville était l'aîné d'une famille riche et importante. Entré tout jeune dans l'armée du roi Louis XIV, comme beaucoup d'adolescents de son âge, le fougueux jeune homme avait provoqué en duel un parent du roi et avait eu la malencontreuse adresse de le blesser.

— Aussitôt, avec un manque de logique déplorable, la jeune beauté, cause de tout ce drame, épousa un troisième personnage, et votre mari se retrouva, le cœur brisé, déshérité et exilé. Ce qui a été une perte pour la France a été un gain pour la colonie.

Le repas terminé, Thérèse amena Jeanne embrasser les enfants rayonnants qui insistaient pour emporter des petits chiens dans leur lit.

Thérèse laissa les hommes savourer leur eau-de-vie et elle s'assit sur le pied du lit de son invitée, pour lui distribuer des conseils et des confidences.

— Je me serais volontiers chargée des enfants, mais j'étais en France, l'année du drame. À mon retour, j'ai été très malade, même s'il n'y paraît plus à me voir. Depuis, je voyage beaucoup avec Hubert.

Visiblement heureuse de cette situation, la bavarde insistait.

— Mon mari m'amène partout avec lui. Évidemment, il ne court pas les bois comme Simon...

J'espère que vous réussirez mieux que cette pauvre Aimée à retenir votre mari. S'il arrêtait un peu de courir le pays, il pourrait prospérer. Vous savez que vous me rappelez beaucoup Aimée?

Sans remarquer l'air contraint de son interlocutrice à cette comparaison détestée, l'étourdie répète avec conviction:

— Oui, vraiment, vous avez quelque chose d'Aimée. En plus vivant.

«J'espère bien», se dit Jeanne, amusée malgré elle de la plaisanterie macabre et involontaire de Thérèse. Le sens de l'humour de la jeune femme lui fit apprécier toute la subtilité de la gaffe, en même temps qu'elle se révoltait intérieurement.

Devait-elle, toujours, être le pâle reflet d'une autre? Quelqu'un verrait-il enfin Jeanne, anxieuse et ardente, derrière le visage emprunté à Aimée?

Finalement, Thérèse, voyant la voyageuse étouffer un bâillement, se retira pour la nuit.

Jeanne, heureuse de se retrouver dans un monde civilisé, enfila sa vaste robe de nuit et se glissa avec délice entre les draps frais. Jamais elle n'avait couché sur un matelas de plumes. Elle se releva, grimpa debout sur le pied de son lit et se laissa tomber, les bras en croix. Elle enfonçait comme dans un nuage. La bougie, sur la table de chevet, faisait danser des ombres sur les murs.

Oubliant son âge et la dignité de son état, comme une écolière en vacances, la jeune femme reprit son manège. Riant toute seule, ivre de liberté, elle se relevait et se laissait choir. Personne ne pouvait lui dire d'être raisonnable.

Un bruit léger lui fit tourner la tête. Appuyé à la porte close, Simon la contemplait avec surprise. Jeanne se redressa, les joues en feu. Avec sa démarche d'Indien, ce grand diable d'homme l'avait prise en flagrant délit d'enfantillage.

Furieuse, essayant de retrouver un semblant de dignité, Jeanne demanda avec hauteur:

— Que faites-vous ici, monsieur?

Simon eut un rire silencieux.

— Je viens, semble-t-il assister aux ébats de madame de Rouville.

— Je crains, monsieur, que vous ne soyez déçu de l'épouse que le Roy vous a envoyée.

Levant un sourcil sarcastique, il rétorqua:

— Je n'attendais rien de bon du Roy. Il faut croire que je l'avais mal jugé.

S'approchant de la glace, Simon enleva sa chemise, la fameuse chemise de cuir, reprisée avec un long cheveu noir. La jeune femme repensa à la beauté française, cause d'un duel, à la jolie cousine Marie du Voyer qu'elle avait remplacée, à cette Aimée dont elle prenait la place. Une grande amertume s'empara d'elle.

Pourquoi donc tant aimer la vie, tant aimer l'amour pour vivre toujours la vie des autres? Soufflant la bougie, elle se jeta sur l'oreiller et éclata en larmes.

Lorsqu'elle sentit près du lit la présence silencieuse de Simon, Jeanne hoqueta passionnément entre deux sanglots:

— Allez-vous-en. Je vous hais. Je ne suis pas Aimée. Je ne le serai jamais.

Quelques secondes plus tard, elle entendit la porte se refermer sans bruit. Alors, elle pleura plus fort encore.

17

La halte au fort Chambly dura trois jours. Le premier matin, Simon surgit devant son épouse, tenant leurs deux mousquets.

— Venez, dit-il de son ton impérieux. Vous devez apprendre à vous servir de cette arme.

Il la conduisit derrière la fortification, installa des pommes sur des piquets, comme cibles, et commença sa leçon. Pendant que le bras fort de son mari l'entourait, pour diriger son tir, Jeanne pensait: «Comme il voudrait que ce fût l'autre.»

Elle fit des progrès rapides qui semblèrent surprendre beaucoup le professeur.

«Il ne s'attendait pas à grand-chose», se dit-elle dépitée.

En revenant au fort, l'un derrière l'autre, ils croisèrent la curieuse qui, le premier soir, avait demandé à qui étaient les enfants. Considérant sans doute qu'elle avait droit à une question par jour, la bonne femme s'arrêta devant la jeune femme.

— Dites-moi, quel est votre nom, ma mignonne?

— Je suis Jeanne Chatel, madame.

— Jeanne de Rouville, corrigea une voix moqueuse derrière elle. Brusquement, elle se retourna pour rencontrer le regard froid de son époux.

Avec feu, la douce enfant rétorqua d'un ton plein de sous-entendus:

— Vous avez raison. Je suis Jeanne de Rouville. Il y a des moments où je l'oublie.

À la grande joie de la commère qui n'en espérait pas tant, Simon tourna les talons et s'éloigna en sifflotant.

«Le sarcasme, pensait Jeanne, ça se joue à deux.» Beaucoup de leurs conversations se terminaient par des fuites, lui semblait-il.

Thérèse, à la demande de la voyageuse, lui présenta le bonhomme Hippolyte, reconnu dans la région pour ses talents de guérisseur. Le vieillard à barbe blanche rappela beaucoup à l'orpheline la personnalité extraordinaire de son aïeul. Même esprit curieux, même philosophie réaliste. L'entente fut immédiate entre ces deux êtres si disparates, et pendant des heures, la jeune femme ajouta à sa science médicale toute neuve, griffonnant des notes précieuses dans le carnet de Sœur Bourgeoys.

Le guérisseur examina le contenu de son sac et y ajouta lui aussi de nombreuses plantes et des racines, jointes à des conseils sur la façon de se les procurer et de les employer.

— La gomme de sapin, le meilleur antiseptique, doit être recueillie pendant la pleine lune. Le fiel d'ours mâle guérit la bronchite chez les femmes, celui de la femelle seul peut guérir les hommes.

Jeanne prenait très au sérieux la mission confiée par Marguerite Bourgeoys.

Ce même soir, le dernier de leurs «vacances» au fort Chambly, les hôtes donnent un dîner en l'honneur des nouveaux époux. Si quelqu'un a remarqué une froideur dans leurs rapports conjugaux, personne ne l'a laissé voir.

Thérèse vient frapper à la porte de son invitée.

— Jeanne. Vous semblez n'avoir que des robes sombres et sévères. Permettez-moi de vous offrir une des toilettes de ma sœur Nicole qui a votre taille. Il est temps que votre époux découvre la jolie femme sous la bure des religieuses.

Rougissante et reconnaissante, la jeune femme accepte l'offre gentille. Enthousiasmée par sa bonne idée, madame de Bretonville procède à la transformation.

Jeanne se demande quel rôle elle joue cette fois-ci, lorsqu'elle descend l'escalier pour saluer les invités. Ses cheveux coiffés à la dernière mode, ou du moins celle d'il y a deux ans, en France, sont joliment relevés sur sa tête. La robe de soie bleue, plus légère qu'aucun matériel que l'orpheline n'ait jamais vu, souligne son buste haut et sa taille fine. La médaille d'or brille entre les plis légers d'un foulard de chiffon. La jeune femme s'avance, titubant un peu dans les escarpins à talons hauts que Thérèse a imposés pour compléter la toilette. Très fière de son œuvre, madame de Bretonville suit son invitée.

Au bas des marches, Simon attend. Il a endossé le costume de son mariage, qui lui confère un air civilisé malgré son teint foncé et ses cheveux trop courts.

Il cause avec Hubert et deux officiers en uniforme,

lorsque, levant les yeux distraitement, il aperçoit cette nouvelle Jeanne qui descend.

S'interrompant au mileu d'une phrase, le sieur de Rouville reste bouche bée. Très contente de son petit effet, Jeanne lève le menton, et essaie pour la première fois de sa vie un sourire de coquette.

«Je suis une grande dame de Versailles, pense-t-elle avec satisfaction. Il ne me reste plus qu'à provoquer un duel entre mon impétueux mari et un officier, et j'aurai mes lettres de noblesse. Que dirait le Roy mon père?»

Hélas! Même les coquettes doivent regarder où elles posent leurs élégants petits talons. Avec un grand cri, Jeanne bascule en avant dans une culbute spectaculaire. Croyant sa dernière heure arrivée, elle ferme les yeux et avance les mains.

Avec une rapidité incroyable, d'une détente de fauve, Simon a bondi, bousculant Hubert et ses invités. Il reçoit dans ses bras tendus sa femme qui plongeait tête première et réussit à arrêter sa chute. Avec des exclamations de sympathie, les dames effarées entourent la victime, la croyant évanouie.

Pressée sur la poitrine de son mari par des bras qui l'étouffent, Jeanne, la tête enfouie dans l'épaule vigoureuse, est agitée de tremblements convulsifs. Simon penche vers elle une figure soucieuse et, partagé entre l'inquiétude, le soulagement et aussi l'impatience devant ces vapeurs féminines, il la secoue un peu.

— Allons, madame, vous êtes sauvée. Il ne faut pas vous affoler.

Jeanne, incapable de parler, renverse sa tête en arrière et se cramponne à l'habit de mariage. Simon, décontenancé, s'aperçoit que sa femme, loin de pleurer, rit à en perdre le souffle.

— Le Roy... mon père... Le Roy... mon père... finit-elle par hoqueter.

— Elle est en pâmoison, concluent les dames.

Jeanne secoue la tête et rit toujours. Cette entrée dans la grande société a été très réussie. Son regard rencontre celui des yeux verts perplexes, et elle rit de plus belle.

Ce que voyant, son seigneur et maître la dépose sans douceur debout à ses côtés, tout en conservant un bras prudent autour de sa taille. Il n'aime pas qu'on se moque de lui, le fier Bâtisseur, et son air sombre le dit bien.

Thérèse, en parfaite hôtesse, surgit avec une coupe de vin d'Espagne.

— Buvez ceci, Jeanne. Rien de tel pour rétablir l'équilibre.

Décidément, madame de Bretonville a le don des mots d'esprit involontaires. Elle continue, embrigadant à son habitude toute l'assistance en ébullition.

— Venez, mesdames, suivez-moi. Hubert, il est temps de prendre place à table. Simon et Jeanne nous rejoindront. Buvez, Jeanne, buvez.

Emportée par ce déluge d'instructions, l'assemblée se disperse, laissant en tête à tête la fille du Roy et son époux qui l'enlace toujours. Docilement, la jeune femme avale d'un trait le vin réconfortant.

Elle n'ose plus lever les yeux vers l'homme qui attend, rigide à ses côtés. Que doit penser le sieur de Rouville de cette scène ridicule? Si au moins elle avait eu la présence d'esprit de jouer à l'évanouissement. On pardonne tout à une femme sans défense.

De nouveau, Simon la secoue sans douceur. Il chuchote avec colère, car il a eu peur et lui en veut de cette émotion:

— Petite sotte. Ne savez-vous même pas descendre un escalier?

— Je ne suis pas une grande dame, proteste Jeanne en baissant le nez.

Une main autoritaire lui redresse le menton, et des lèvres impérieuses se posent sur les siennes. Fidèle à lui-même, Simon embrasse comme il monte à l'assaut, impétueusement.

Sans lui donner le temps de reprendre ses esprits, il la fait pivoter sur elle-même, et lui prenant le bras la propulse vers la salle à dîner ou les convives les accueillent avec des plaisanteries de circonstance.

Enivrée par le vin et peut-être par le baiser, Jeanne s'amuse et rit joyeusement avec ses voisins qui lui tournent d'adroits compliments.

Questionnée sur sa traversée de l'Atlantique, la conteuse d'histoires de l'orphelinat reprend ses droits, et elle amuse tout le monde avec ses descriptions pittoresques et ses anecdotes. Oubliant la discrétion, la réserve et l'effacement prêchés par les religieuses, Jeanne Chatel reparaît, exubérante et boute-en-train.

Dans cette assemblée de gens optimistes qui affrontent la mort et vivent intensément, cette vivacité trouve un écho sympathique. On n'a que faire des précieuses, et sa fraîcheur est réconfortante.

Les conversations sont animées, l'atmosphère détendue.

Thérèse, très fière du succès de sa protégée, sourit

maternellement. Hubert regarde Simon à la dérobée. Peut-être, cette fois enfin, son ami a-t-il trouvé la femme qui lui convient? Il n'en semble pas encore convaincu.

Assis à l'autre bout de la table, le sieur de Rouville observe pensivement cette épouse surprenante que le Roy lui a envoyée. À plusieurs reprises, Jeanne sent peser sur elle le regard des yeux verts.

Malheureusement, tout a une fin. Les invités se dispersent, et Hubert sort sur le pas de la porte pour les saluer. Thérèse disparaît pour une dernière inspection des cuisines.

Dans le hall, Simon, penché sur une table surmontée d'un miroir décoré, vérifie une longue liste qu'il a tirée de sa poche. Il semble préoccupé. Il y a tant de choses essentielles auxquelles il doit penser avant de disparaître dans les profondeurs du pays pour un long hiver.

Jeanne, encore enthousiasmée par cette soirée inoubliable, relève ses jupes avec prudence pour gravir l'escalier. La voix autoritaire de son seigneur l'immobilise sur la deuxième marche. Sans se retourner, il donne ses ordres.

— Madame, nous partons à l'aube, ne l'oubliez pas. Préparez tout et soyez prête.

Déjà, il se replonge dans ses papiers.

Moqueuse, Jeanne esquisse une révérence et murmure: «Bien, Monseigneur.» Puis, en incorrigible gamine, elle tire la langue au dos large qui lui fait face.

Soudain, elle se fige. Par-dessus l'épaule de son mari, elle a rencontré dans la glace un regard pâle et glacial. Il l'a vue.

Il pose ses dossiers sur la table, se retourne et la

rejoint en deux enjambées. Le souffle coupé, elle attend. Il dit laconiquement:

— Madame, vous êtes une insolente.

La soulevant dans ses bras, comme si elle était Isabelle, il franchit l'escalier en quelques bonds et pousse de l'épaule la porte de la chambre au grand lit de plumes. D'un coup de pied, il la referme derrière lui. Ses pupilles brillent comme des émeraudes dans sa figure bronzée.

Jeanne, emportée dans un tourbillon, se dit que rien ni personne ne pourrait lui résister. Simon la dépose, avec douceur cette fois, debout à côté du lit. Ses deux grandes mains maintiennent fermement la tête bouclée. Jamais elle n'aurait cru que ces yeux pâles pouvaient exprimer tant de tendresse et de douceur. De nouveau, elle tremble sous le baiser interminable.

18

Les canots glissent à travers la forêt d'automne. La Nouvelle-France se pare de ses plus beaux atours, et un soleil radieux illumine les arbres dont les couleurs magnifiques enchantent la fille du Roy. C'est la saison que les colons ont baptisée «l'été des Indiens».

Silencieux comme tous les hommes des bois, le sieur de Rouville s'amuse de l'enthousiasme de Jeanne. Il est fier de la beauté de son pays d'adoption et affecte une attitude possessive devant chaque arbre, chaque aspect changeant de la rivière qu'ils remontent. Jeanne a parfois l'impression qu'il a inventé tout ce paysage exprès pour le lui offrir en hommage.

Le voyage se poursuit par courtes étapes, ponctuées le soir par des incursions en forêt de Simon et de ses hommes. Maintenant, cependant, il revient plus tôt et se glisse sans bruit dans l'abri que la Patte dresse fidèlement pour Jeanne. Entre les bras puissants de son mari, ou allongée à côté de sa forme mince, toute en muscles, elle dort aussi en sûreté que dans sa mansarde à Troyes.

Les mousquets sont toujours à portée de leurs mains, et le couteau planté en terre près de leur lit de branchages. Mais ce ne sont pas ces armes qui rassurent la voyageuse. Elle sent dans son mari une force, une volonté qui ne laissent pas place à la crainte. Maintenant, elle comprend la déclaration du Rouquin: «Y me mènerait au bout du monde, moi et tous ceux qui le connaissent.»

Les enfants couchent avec Gansagonas dont le dévouement silencieux les entoure de sollicitude. Les campements sont un peu compliqués par la présence d'un jeune chien que les Bretonville ont offert à Nicolas.

Lorsque le petit garçon a surgi au débarcadère, frottant ses yeux endormis et traînant en laisse un chiot aussi large que long, Jeanne a vu la figure de Simon se durcir. Elle a deviné l'interdiction qui pointait, dictée par la prudence. Avec un courage tout neuf, elle tint tête à l'autorité, elle qui avait été élevée dans la soumission. Empruntant la tactique préférée de Thérèse de Bretonville, elle lança un flot de commandements dans toutes les directions.

— Nicolas, as-tu bien remercié le capitaine pour son cadeau? Garde le chien près de toi. Gansagonas, montrez-lui comment faire taire l'animal si c'est nécessaire. Viens près de moi, Isabelle. Tu verras le chien ce soir. Mathurin, mon sac de médicaments est-il dans le canot? Bon, alors nous pouvons partir. Au revoir, capitaine.

Elle se faufila à sa place et attendit les événements. Simon, la tête dans le dos, la regardait, la bouche ouverte. Un profond ébahissement se lisait sur ses traits.

Puis, il haussa les épaules, leva son aviron et le canot

glissa sur l'eau pendant que de la rive, Hubert, convulsé de joie, leur envoyait la main.

Jeanne savourait son triomphe lorsque son époux se retourna de nouveau.

— Dieu me préserve, maugréa-t-il à mi-voix, j'ai épousé une mégère.

— Et moi un despote, rétorqua la rebelle avec feu.

Simon se remit à sa tâche, et après quelques minutes, Jeanne constata que les épaules du rameur étaient agitées de soubresauts. La tête renversée en arrière, le sieur de Rouville riait avec abandon. La jeune femme fut entraînée par cette gaieté communicative, et tous deux s'amusèrent longtemps, unis par une amitié toute neuve.

À l'arrière du canot, la Patte, sa bouche édentée ouverte dans un large sourire, se tourna vers sa droite.

À quelques pieds de lui, le canot du Rouquin glissait parallèlement. Les deux coureurs des bois échangèrent un regard significatif. Il y avait longtemps qu'on avait entendu rire le seigneur. Ce sera un bon hiver.

19

Après des jours de voyage et de nombreux détours, les embarcations s'approchent un matin de la rive, près d'une petite clairière. Sautant dans l'eau jusqu'aux genoux, Simon tire d'un élan le devant du canot sur une plage de sable. Il enlève Isabelle au bout de ses bras, la dépose sur la grève et du même geste soulève Jeanne et la fait tourner sur elle-même.

Jamais elle n'avait vu son mari aussi exubérant. Il annonce:

— C'est ici. Voici mon domaine.

«Où? Quel domaine?» se demanda Jeanne, mais elle a la délicatesse de ne pas montrer sa déception. Quel domaine, en effet!

Simon, la prenant par la main, lui en montre chaque pouce avec orgueil. Un champ grand comme le pont d'un bateau, les ruines calcinées d'une maison et, à côté, une habitation longue de dix pieds, en billots non équarris, éclairée par une porte fermée d'une peau.

Il dit fièrement, en indiquant l'éclaircie:

— Avant, c'était la forêt.

«Mais, c'est encore la forêt», pense Jeanne, attendrie. Et loin de redouter cette présence hostile qui les encercle, elle l'aima, retrouvant entre ces arbres rassurants toutes les joies de sa jeunesse.

Simon la ramène devant la maison incendiée. Dans son anxiété, il la tutoie pour la première fois.

— Tu n'auras pas peur de vivre dans ces ruines? C'est temporaire, tu comprends.

— Mais j'ai vécu toute ma jeunesse dans des ruines comme celles-là, s'exclame la jeune femme en riant.

Voyant la perplexité de son époux, elle ajoute vivement, employant elle aussi le pronom familier:

— Je t'expliquerai plus tard.

Comme ils ne savent encore rien l'un de l'autre! Mais ils ont toute une vie pour remédier à cette ignorance.

La vue de sa maison brûlée doit rappeler des souvenirs pénibles au seigneur, car sa bouche prend un pli amer et ses yeux se voilent de tristesse.

Les amis du Bâtisseur l'avaient aidé à construire en pleine forêt cette habitation confortable pour une enfant gâtée qui n'acceptait rien de moins. Du bout de son mocassin, Simon fait rouler un morceau de bois calciné.

Jeanne en a pitié, mais en même temps, une voix intérieure lui crie: «Tu vois bien qu'il n'a rien oublié. Il la regrette encore, et c'est elle qu'il cherche partout, même à travers toi.»

Il est difficile de croire au bonheur, lorsqu'on en a été longtemps privé. Simon et Jeanne retombent souvent dans l'insécurité de leur vie antérieure.

Mais tous deux sont gens d'action, et Jeanne se tourne vers la cabane de bois rond.

— C'est ici que nous habiterons?

Simon est un peu confus. Il repense aux caprices d'Aimée.

— Oui. J'espérais avoir le temps de reconstruire avant ton arrivée, mais j'en ai été empêché.

«On ne refuse pas beaucoup, en Nouvelle-France. Faut que chacun fasse sa part», a déclaré le Rouquin. Et la part de son époux, c'est apparemment de bâtir pour les autres.

Simon continue:

— Maintenant, il est trop tard pour cet hiver. Il va falloir vivre ici. Crois-tu que tu le pourras?

Avec un effort, il ajoute:

— Si tu préfères, je peux te faire reconduire à Chambly avec les enfants, ou même à Ville-Marie. Je n'avais pas réalisé, avant de le revoir, comme cet abri était rustique. Je l'avais construit pour moi après... lorsque...

Pour la première fois, Jeanne voit son mari chercher ses mots. Il est nerveux, et l'étudie avec inquiétude. Elle constate avec surprise qu'il semble attendre un éclat, des protestations. Peut-être Aimée l'avait-elle habitué à des récriminations et des scènes de larmes?

Devant la perspective d'un hiver dans cette construction primitive, Jeanne ne pouvait blâmer la pauvre petite femme, surtout si elle avait été habituée à une vie facile et rangée. Mais la maison où Rouville avait amené sa première épouse avait été beaucoup plus vaste et confortable, à en juger par la dimension des ruines, des restes de cheminées à chaque bout du rectangle carbonisé.

Une fois de plus, la fille du Roy bénit le sort que ce soit elle qui se trouve ici, et non la craintive Marie. Ce pays n'est décidément pas un un endroit pour une dame. Cependant, pour une orpheline élevée par un braconnier, il représente un défi passionnant. Le sieur de Rouville verra qu'il y a des compensations à la rusticité de son épouse.

Se tournant vers l'homme qui l'observe, anxieux, Jeanne déclare:

— Tu seras surpris d'apprendre que moi non plus, je n'ai pas toujours vécu dans le luxe. Si nous devons hiverner ici, il est grand temps de nous y préparer.

D'un geste déterminé, elle écarte la peau de fourrure qui obstrue la porte. Sa voix ferme montre qu'elle prend la situation en main:

— Pour commencer, il nous faudra une porte con-venable, avec un madrier solide pour la barricader.

Elle continue son inspection dans la pénombre, pendant que Simon, appuyé dans l'embrasure, la suit des yeux avec fascination.

— Il faudra une table ici, près de l'âtre, et deux bancs. Des étagères ici, et là, et là. Et dans ce coin... (elle pousse du pied un amas de branches et de vieilles peaux) dans ce coin, un bon lit solide. Plus tard, ajoute-t-elle sans rougir, tu m'offriras un matelas de plumes.

Simon se glisse derrière elle en riant, et lui entoure la taille de ses bras. Il murmure, le nez dans son cou:

— Il n'y a pas de doute, j'ai épousé une mégère. Une adorable mégère. Que faut-il de plus à votre altesse?

— Des fenêtres. Je voudrais des fenêtres. J'ai besoin de lumière.

Son époux se rembrunit:

— Les vitres sont rares en Nouvelle-France. Je pourrais faire une ouverture, mais il faudra l'obstruer dès qu'il fera froid.

— Je penserai à quelque chose, promet l'incurable optimiste. Peux-tu faire une plate-forme, à cette extrémité, avec une échelle, pour y loger les enfants, comme chez le forgeron de Chambly?

La jeune femme parcourt la cabane, organisant, faisant des plans. Elle demande:

— Où logera Gansagonas?

— Elle préférera un abri, attenant à la maison. Les Huronnes détestent vivre dans nos habitations. La Patte aussi d'ailleurs. Il va se construire une cabane près de la rivière.

— Et le Rouquin et les autres?

— Ils vont s'enfoncer dans la forêt pour chasser et trapper tout l'hiver. C'est la saison où les peaux sont les plus belles. Ils ont des contrats avec des commerçants de Ville-Marie qui financent leur expédition, leur fournissent les munitions, les provisions, les couvertures. En échange, les trappeurs rapportent les fourrures à leurs comptoirs.

Soudain, Jeanne a une intuition.

— Et toi, Simon, est-ce que quelqu'un t'a financé pour l'hiver?

Le jeune mari regarde ses mains avec embarras, puis il relève la tête et la fixe de ses yeux pâles. Rien ni personne n'intimide Rouville bien longtemps.

— Eh bien! oui. Moi aussi j'ai des contrats de traite à respecter, avant de partir en expédition sur le lac Ontario.

— Alors, tu vas devoir t'absenter, nous laisser seuls, les enfants et moi? Pourquoi ne me l'as-tu pas dit?

Jeanne se sent tout à coup trahie, prise au piège, entre les arbres menaçants de la forêt proche.

— Mais je croyais que tu le savais. Tu as vu mes préparatifs. Tout le monde ici sait que je suis un trappeur, pas un fermier.

«Tout le monde, à part une épouse trop confiante», pense-t-elle avec amertume.

La jeune femme lève le menton d'un air résolu.

— Alors, je saurai bien m'arranger seule.

— Tu ne seras pas seule. La Patte et Anonkadé, le frère de Gansagonas, resteront avec toi. Ils chasseront et couperont le bois et en cas d'attaque...

Il ne termine pas sa phrase. Comme elle l'a dit à Marie dans sa lettre, le sieur de Rouville n'a pas l'intention de perdre une autre épouse aux mains des Iroquois.

— Si tu dois nous quitter bientôt, dit Jeanne avec une pointe d'aspérité, raison de plus pour commencer au plus vite les réparations à la maison.

Le sieur de Rouville ne se le fait pas dire deux fois. La scène qu'il appréhendait s'est très bien passée après tout. Les cris et les larmes qui accompagnaient chacun de ses départs lui seront épargnés. Un jour, comme ses amis le lui conseillent, il passera lui aussi de longs mois à améliorer son domaine. En attendant la forêt l'attend, mystérieuse et dangereuse, il ne sait pas encore résister à son appel.

20

Simon n'est pas surnommé pour rien le Bâtisseur. Sa hache, maniée d'une main adroite, façonne la porte, les meubles et les étagères exigés par Jeanne.

La Patte aide beaucoup, malgré son infirmité. Tous deux chassent et fument des viandes pour l'hiver. Aidés de Jeanne et de Gansagonas, ils récoltent les énormes citrouilles qui poussent dans le petit champ, entre les tiges de blé d'Inde. À la fin de l'été, la Patte est venu cueillir les épis pour Simon et les a rangés dans le «caveau» derrière la cabane.

Cette cave, une petite chambre souterraine de huits pieds carrés, est creusée à même le sol, renforcée de troncs d'arbres, tapissée de branches de sapin. Elle sert de garde-manger et de cache pour les peaux de fourrure. Fermée par une trappe et dissimulée sous un carré de tourbe, elle est absolument invisible pour ceux qui ne connaissent pas son existence. C'est une initiative de Simon qui en est très fier.

Les deux hommes transportent dans le coffre qui sert de garde-manger, près de l'âtre, les provisions de maïs séché, d'anguilles fumées et de citrouilles qui seront la base de l'alimentation de la famille pendant l'hiver. Les produits de la chasse compléteront ce menu frugal qui est celui de tous les colons du pays à l'époque. La mélasse et les raisins secs, amenés par les bateaux des Antilles, sont les seules douceurs qui agrémentent la fadeur de ces repas monotones.

Du matin au soir, la fille du Roy, manches retroussées sur ses bras vigoureux, lave, frotte et range dans la cabane sombre.

Tant bien que mal, elle installe tout le monde. Sur le lit de cordes tendues, elle place un matelas rempli de feuilles et de mousse. Le traversin de «courtes pointes», offert en cadeau de noces par madame de Bretonville, égaie de ses couleurs vives ce coin de la «chambre à coucher».

Sur la table rustique, elle pose le sucrier à fleurs bleues que la généreuse Thérèse a donné à Isabelle qui l'admirait beaucoup.

Dans l'angle, près de l'âtre, le coffre de bois, offert par Louis XIV à sa «fille» sert à la fois de rangement et de siège.

Le chaudron de fer, ustensile essentiel à toute cuisinière, est suspendu à une crémaillère que Simon, prévoyant, a apporté dans ses bagages.

Près de la porte, sur le mur, des supports de bois attendent les mousquets qu'on y accroche en entrant, au-dessus des cornes de poudre et des sacs de balles de plomb.

Au-dessus de la table, des branches de feuilles d'automne, changées chaque jour, ajoutent une touche artistique.

Un balai confectionné de brindilles attachées à un manche chasse vigoureusement la poussière du sol de terre battue.

«L'an prochain», projette Jeanne qui ne doute de rien, «je réclamerai un plancher de bois. Non, plutôt, je réclamerai toute une habitation neuve.»

En attendant, sous sa poigne énergique, la cabane de bois rond devient une maison hospitalière et chaleureuse.

Les principaux aménagements finis, Jeanne attaque le problème suivant. Les petits, si peu habitués à rire et tellement dépaysés, demeurent pendant des heures assis sans bouger dans un coin. La harpie qui les a gardés les a terrorisés. Leurs grands yeux sérieux suivent chaque mouvement de la jeune femme, et le petit chien est le seul qui semble jouir de sa jeunesse.

Perplexe, la mère sans expérience étudie le problème. Soudain, elle a une inspiration. À voix haute, elle annonce:

— Maintenant, ce qui presse le plus, c'est de faire une poupée à Isabelle et un ballon à Nicolas. Venez m'aider, les enfants.

Du coffre de fille du Roy, Jeanne tire une des deux paires de bas blancs de son trousseau. Installée sur une bûche, devant le seuil de la maison, elle ouvre la trousse de couture que lui a remise mère de Chablais avant son départ. La bonne religieuse avait dit avec un sourire malicieux:

— Je sais que manier l'aiguille n'est pas votre activité favorite, ma fille, mais un jour viendra où cette trousse fera de vous une ménagère accomplie.

La supérieure masquait par un louable optimisme des doutes persistants.

Sous les doigts plus ingénieux qu'habiles de la couturière, peu à peu, une poupée prend forme. Les enfants très excités rassemblent des feuilles mortes pour la remplir. Animés, pour la première fois depuis qu'elle les connaît, ils donnent gravement des conseils. Jeanne, aussi instinctivement psychologue que sœur Berthelet, les oblige à participer à l'opération.

— Les cheveux. Avec quoi ferons-nous les cheveux?

— Avec les miens? suggère Isabelle.

Solennellement, Nicolas coupe une des boucles blondes de sa sœur, et la poupée est coiffée. Une frange empruntée au châle espagnol devient une bouche souriante. Pour les yeux, la jeune femme sacrifie sans regret deux des boutons bleus de la robe de soie que Thérèse l'a forcée à emporter dans son coffre. On habille la poupée avec le mouchoir fleuri offert par Mademoiselle Crolo avant le départ de l'école Bon-Secours.

Éperdue de bonheur, Isabelle presse sur son cœur l'informe poupée.

— Comment s'appellera-t-elle? demande Jeanne en enfilant son aiguille. C'est très important, un nom, pour une fille.

— Elle s'appellera Aimée, décide Nicolas, et le cœur de la jeune femme se serre douloureusement.

— Non, décrète Isabelle, contredisant son frère pour la première fois. Elle est à moi, et elle s'appelle Zeanne.

Les larmes aux yeux, Jeanne embrasse les cheveux blonds de la fillette.

— Et moi? criait Nicolas sans rancune. Et mon ballon?

On se remet à l'œuvre. De nouveau, un bas et des feuilles furent mis à contribution. Artistiquement décoré de charbon, de safran et de quelques gouttes de sang, car la couturière peu habile se piquait souvent, le ballon est lancé et repris avec des cris de joie. Malheureusement, sa carrière faillit être courte, car le chien s'en empare et se sauve avec ce jouet qui lui tombe du ciel.

Des poursuites épiques, ponctuées de cris et de rires, se terminent par la capture du ballon.

— Méchant chien, gronde Nicolas. Il ne vient pas quand je l'appelle.

— C'est parce que tu ne lui as pas trouvé de nom, explique Jeanne essoufflée, en se laissant tomber sur sa bûche.

— Appelle-le Zeanne, suggère Isabelle qui a de la suite dans les idées.

— Sotte. C'est pas un nom pour un chien. C'est quoi, maman, un nom pour un chien?

— J'ai connu un garçon qui se nommait Jocelyn et qui avait un chien qui s'appelait Miraud, dit Jeanne rêveusement.

— Alors, mon chien s'appelle Miraud. Viens, Miraud. Ici, Miraud.

Pour plus de sûreté, la jeune femme attache une longue corde au ballon et le fixe à une branche. Elle découvrait rapidement des ruses parentales pour prévenir les ennuis.

Heureuse de son succès, elle regardait les petits s'amuser. Une nouvelle idée la frappe soudain. Simon, trop longtemps absent et maladroit avec les enfants, était un étranger pour Nicolas et Isabelle. Il fallait remédier à cela. Elle entreprit aussitôt une habile campagne de rapprochement.

— Les petits, quand votre papa rentrera, il faudra lui montrer vos nouveaux jouets. Les papas s'intéressent beaucoup aux jeux de leurs enfants. Il sera très content.

Elle guette Simon et court à sa rencontre lorsqu'elle le voit surgir de la forêt, son fusil à la main, un quartier de chevreuil sur l'épaule.

Surpris et ému de cet accueil, il lui adresse un de ses rares sourires qui découvrent ses dents éclatantes et qui ont le don de faire fondre le cœur de Jeanne. Elle trottine à ses côtés, très animée, toute à son complot.

— Simon, il faudra que tu t'intéresses beaucoup à ce que les enfants vont te montrer. C'est très important pour eux.

— Je ne suis pas un bon père, je le crains.

— Mais ça s'apprend. Tu vois, je n'étais pas une grande dame, et je l'ai appris.

Cette boutade fait s'esclaffer le chasseur qui l'entoure rudement du bras qui tient le mousquet.

— En effet. À te voir, le bonnet de travers, les manches retroussées, le nez plein de suie, on voit bien que tu es la châtelaine d'un seigneur à perruque.

La ruse innocente de Jeanne porte ses fruits. Lorsque Simon, assis à son tour sur la bûche, nettoie soigneusement son fusil, Isabelle s'approche timidement en tendant sa poupée.

— Elle s'appelle Zeanne et elle est belle.

— Regardez, monsieur, crie Nicolas en donnant un coup de poing sur le ballon.

Le jeune père dépose son arme et assoit la petite fille sur son genou. Gravement il examine la poupée et se fait raconter la longue histoire de sa confection. Peu à peu, Nicolas, plus farouche, se rapproche. Il murmure:

— Mon chien s'appelle Miraud.

Rassemblant son courage, le gamin bredouille:

— Est-ce que je peux regarder votre fusil, monsieur?

Tout en s'activant au-dessus de sa marmite, Jeanne suivait les événements, un sourire aux lèvres.

Lorsque Simon entra manger, une heure plus tard, il souleva Nicolas dans ses bras, et c'est le petit garçon, ivre de fierté, qui accrocha lui-même le mousquet sur les supports près de la porte. Dès que son père le déposa sur le sol, il courut à Jeanne.

— Maman, papa va m'amener dans la forêt, demain. Et plus tard, Miraud sera un chien de chasse. N'est-ce pas, tu l'as dit, papa?

— Un excellent chien de chasse, sans aucun doute. Probablement le meilleur du Canada et peut-être de toute la Nouvelle-France.

Isabelle explique laborieusement:

— Monsieur papa, il va faire un ber à Zeanne, avec des planches, et il bercera et Zeanne dormira et...

Par-dessus les têtes des enfants, Simon et Jeanne échangent le regard amusé de parents indulgents.

La jeune femme exultait. Sa cabane dans le bois était devenue un foyer heureux, le foyer de Jeanne de Rouville, fille du Roy et seigneuresse.

21

Au cours d'une promenade en famille dans la forêt environnante, le chien Miraud fait lever une perdrix.

Nicolas qui, en vrai gamin, court devant eux, s'exclame:

— Regardez, l'oiseau est blessé. Il laisse pendre son aile et marche tout de travers.

Déjà, en chasseur qui apprécie la valeur de chaque gibier rencontré, Simon épaule son mousquet.

Doucement, Jeanne détourne le canon de l'arme.

— Ne tire pas, Simon. C'est une pauvre mère qui protège ses petits en simulant une blessure. Elle mérite d'avoir la vie sauve. C'est une héroïne.

— Comment sais-tu cela? interroge le mari qui persiste à voir une citadine dans sa jeune épouse.

— J'ai appris ça dans ma jeunesse, de mon grand-père qui était bra... je veux dire chasseur comme toi. Regardez, les enfants. Les perdreaux sont cachés ici. Laissons-les en paix.

En pédagogue consciencieuse, elle explique aux enfants fascinés la belle ruse de la mère perdrix. Elle avance dans le sentier tenant Nicolas et Isabelle par la main et elle captive leur attention par son histoire si bien racontée.

Simon, qui la suit, hoche la tête. Sa seconde femme n'a pas fini de l'étonner.

En longeant un sentier à peine visible, ils s'arrêtent près d'un arbre immense qui domine tous les autres, et qui pour croître à son aise n'a pas craint d'étouffer ou de repousser ses voisins. Simon le désigne:

— C'est le vieux géant, le plus gros chêne de la forêt.

Ajustant son mousquet sur son épaule, le chasseur étend les bras, fait un bond et attrape une branche. D'un rétablissement agile, il se hisse dans l'arbre et on voit sa silhouette vêtue de cuir disparaître, de plus en plus haut entre les rameaux dépouillés de leurs feuilles.

Le cou cassé, Jeanne demande:

— Pourquoi montes-tu? C'est ton château?

Des souvenirs de jeunesse se pressent à sa mémoire. Peut-être même les adultes sérieux ont-ils besoin de pays de rêves.

La voix lointaine du seigneur leur arrive:

— C'est un excellent poste d'observation. D'en haut, je vois la rivière, des deux côtés.

Il redescend rapidement, en gestes sûrs, les bombardant de brindilles cassées.

— Tu escalades bien, pour ton âge.

Simon s'arrête net, et la contemple à ses pieds. Il proteste:

— Pour mon âge? Me prends-tu pour ton ancêtre?

Candide, Jeanne se laisse emporter une fois de plus par sa langue indiscrète.

Elle affirme avec conviction:

— Ce ne sont pas tous les hommes de quarante ans qui grimpent aussi vite.

— Quarante ans?

De saisissement, Simon se laisse glisser à califourchon sur une branche. Il répète, incrédule:

— Quarante ans? Où as-tu pris que j'avais quarante ans?

Jeanne regrette sa remarque. Trop tard, elle constate qu'elle a dû le blesser. Elle s'était pourtant bien juré de ne jamais faire allusion à leur différence d'âge. Penché vers elle, Rouville insiste:

— Qui t'a dit ça?

— Mais, c'est le Rouquin. Il n'a pas dit ça précisément, mais il a raconté que tu construisais des forts en 1665 et que tu étais capitaine. Hubert de Bretonville est capitaine, et il a plus que quarante ans. Alors... j'ai calculé... j'ai cru...

Confuse, elle bafouille et se tait.

D'un bond de chat, Simon saute près d'elle. Il la regarde, tête penchée, les poings sur les hanches.

— Madame fait de savants calculs. Madame tire des conclusions. Petite nigaude. J'étais capitaine dans la milice canadienne, non dans l'armée. Et en Nouvelle-France, on n'est pas très âgé quand les responsabilités nous sont imposées. Je suis vieux, c'est vrai, plus vieux que toi. J'ai trente-deux ans, et non pas quarante.

Il se détourne dignement et s'éloigne à grandes enjambées, poursuivi par Jeanne et les enfants. Ils l'entendent marmonner de temps en temps:

— Quarante ans. Un vieux mari. Bah!

Pour la centième et non la dernière fois de sa vie, l'orpheline résolut de tenir sa langue et de la tourner un grand nombre de fois dans sa bouche avant de parler.

Tout de même, elle est bien heureuse de s'être trompée dans ses calculs. Simon est beaucoup plus jeune qu'elle ne le croyait. Cela veut dire qu'ils seront ensemble plus longtemps. Il faudra qu'elle lui dise cela, à l'oreille, ce soir. Ça le consolera.

Aussitôt rassérénée, l'étourdie retrouve sa bonne humeur et siffle comme un oiseau.

Simon, toujours bourru, se retourne brusquement. Une dame saurait-elle siffler?

— Où as-tu appris ça?

— À imiter les oiseaux? C'est mon grand-père qui m'a montré. J'ai toutes sortes de talents cachés.

Il commence à s'en douter. C'est justement ce qui inquiète le sieur de Rouville. Sa vie, depuis quelques semaines, est plus pleine d'imprévus qu'une expédition en Huronie.

22

Au début de novembre, par une journée grise, un canot passe sur la rivière, et ses passagers hèlent Simon qui coupe du bois devant la maison. Prenant son fusil posé près de lui, le seigneur s'approche de la berge et cause longuement avec les voyageurs. Toutes les nouvelles de la région, transformées, exagérées ou embellies, sont échangées et commentées. Puis, le canot s'éloigne, et Rouville revient en courant vers la maison.

Malgré le froid, la porte est grande ouverte, laissant entrer le pâle soleil d'automne. Jeanne, en chantant, fait voler la poussière d'un balai agressif.

— Qu'est-ce que cette furie ménagère? s'exclame le mari toujours surpris de l'énergie déployée par sa femme dans toutes ses entreprises.

— Ce plancher est impossible à garder propre. Je voudrais un plancher de bois.

— Tu ne l'auras pas cette année, mais tu trouveras peut-être quelque chose qui te plaira à la foire des Quatre-Ruisseaux.

Il avait l'air satisfait de quelqu'un qui a une surprise en réserve. La curieuse saute sur l'appât.

— De quoi parles-tu? Ne prends pas ces airs mystérieux.

— Viens, nous allons faire des emplettes.

— Simon, tu rêves. Que veux-tu dire?

— Chaque année, avant le départ pour la chasse d'hiver, les colons, les trappeurs et les Indiens se réunissent aux confluents des Quatre-Ruisseaux, et pendant quelques jours, il se fait un grand trafic d'échanges. Chacun apporte quelques objets dont il n'a plus besoin.

Jeanne conclut:

— Ce qui est le surplus des uns devient le bonheur des autres.

— Exactement. Habille-toi chaudement, et mets dans un sac les choses dont tu veux disposer. J'avertis la Patte et je te rejoins au canot.

Aussi excitée qu'une provinciale à qui on a promis une journée dans les boutiques de Paris, la jeune femme tourne en rond, cherchant les possessions superflues dans son humble demeure.

Finalement, elle choisit la dernière paire de bas blancs et, après bien des hésitations, elle ajoute dans le sac la robe de soie bleue déjà froissée, et trop belle pour la vie dans la forêt.

«Après tout, je peux la rapporter si je ne trouve rien qui me plaise», raisonne-t-elle pour justifier son geste.

Simon la fait asseoir au fond du canot, et la couvre d'une peau d'ours. Elle proteste:

— Quand m'enseigneras-tu à avironner? Je me sens un fardeau inutile.

— Ce n'est pas le moment de risquer un naufrage, dans cette eau glacée. Au printemps, je te montrerai.

«Il me considère encore comme une poupée précieuse», déplore Jeanne.

Malgré les efforts de la jeune femme, l'ombre d'Aimée, inefficace et timorée, planait toujours sur leurs têtes. Simon, le protecteur fort et compétent, se faisait encore une idée fausse et chevaleresque de l'impuissance des femmes dans la nature. Jeanne n'avait pas encore osé le détromper pour ne pas le décevoir.

Pour la jeune femme qui vivait dans la solitude depuis des semaines, la scène au fortin des Quatre-Ruisseaux présentait une animation extraordinaire.

Une cinquantaine de trappeurs, de colons et de Peaux-Rouges amicaux avaient placé sur le sol les objets les plus hétéroclites et s'efforçaient par leurs gestes d'attirer l'attention des clients éventuels. À part Jeanne et quelques Indiennes, on ne voyait aucune femme. Le plus étrange, c'est qu'au lieu de la cacophonie qui aurait dû accompagner ces échanges, on percevait à peine un murmure de conversation. L'habitude de silence et de mutisme des Indiens et des coureurs des bois ne se relâchait pas si vite.

— Ce soir, prédit Simon, quand l'eau-de-vie circulera, ce sera autre chose. Mais nous serons repartis à ce moment. Vois-tu quelque chose qui te plaise?

— Pas si vite. Je dois regarder partout.

Les yeux brillants, comme un gamin dans une confiserie, Jeanne court d'un endroit à l'autre. Son époux indulgent la laisse aller et va causer avec de vieux compagnons d'aventure.

Après deux heures, il cherche sa femme des yeux et l'aperçoit. Elle aide une Indienne courte et grasse à enfiler la robe de soie bleue qui craque de toutes les coutures. Près d'elle, un guerrier impassible est assis, les jambes croisées. Il fume sa pipe, la tenant entre deux mains qui sont gantées jusqu'au coude de bas blancs.

Simon lève un sourcil interrogateur. Son épouse est radieuse. Elle lui désigne à ses pieds le fruit de ses transactions. Elle a obtenu une poêle de fonte à long manche, et, ô miracle! une porte de bahut dont la partie supérieure encadre une vitre intacte. Les deux objets, produit d'un raid iroquois, ont dû changer de mains bien des fois.

— C'est ma fenêtre, Simon. J'ai une fenêtre.

Le jeune homme se tourne vers un coureur des bois qui le suivait. Il dit:

— Tu vois Charron? Ce que femme veut... Tu es contente? Il ne te faut plus rien?

— Je n'ai rien à échanger.

— Alors, partons.

Il a l'air soucieux, tout à coup, et lance un regard inquisiteur à la ronde.

— Qu'y a-t-il, Simon. Tu es inquiet?

— Ce n'est rien. J'ai cru apercevoir des gars avec qui j'ai eu des malentendus.

Charron qui les écoute, appuyé sur son mousquet, intervient avec un rire bref.

— Des malentendus. Il appelle ça des malentendus. Cré Rouville!

Se tournant vers Jeanne, le bonhomme crache discrètement et se lance dans des confidences:

— Rouville a surpris ces bandits à vendre de l'eau

de feu aux Indiens. Il en a presque tué un, a battu l'autre et leur a fait perdre leur permis de traite de fourrure. On n'appelle plus ça mal s'entendre. Sacré Rouville. Il ne changera jamais. Toujours aussi batailleur.

— Je te retrouverai à Katarakoui, Charron, interrompt Simon en fronçant les sourcils.

Il ne tient pas du tout à ce que sa femme apprenne les péripéties de sa carrière orageuse. Ramassant la porte vitrée, et ajustant son fusil, le seigneur tourne dignement les talons.

Jeanne, cramponnée à sa lourde poêle à frire, court comme d'habitude, pour le suivre. Elle demande:

— Qu'est-ce que c'est Katara quelque chose?

— Katarakoui, jette Simon par-dessus son épaule. C'est le nom d'une rivière que nous allons explorer avec Cavelier de la Salle, sur le lac Ontario.

— Pas si vite, Simon. Attends-moi. Je n'ai pas tes longues jambes.

Ils dévalent la pente qui mène au canot. Soudain, sans bruit, un homme surgit sur le sentier. Il tient une hache à la main et la brandit d'un air menaçant.

— Maudit Rouville, hurle-t-il en leur barrant la route. Il y a longtemps que j'attends ce moment.

Sûr de lui, il savoure déjà sa vengeance. Il a compté sans les réflexes de son adversaire. Rapide comme l'éclair, Simon a laissé la précieuse porte glisser à ses pieds, a empoigné son mousquet par le canon et du même mouvement souple, l'a fait tournoyer, frappant en pleine mâchoire l'agresseur qui s'apprêtait à abaisser sa hache meurtrière.

À ce moment, un grand blond barbu surgit dans le

sentier, courbé en deux, la main crispée sur son couteau qui semble faire partie de son bras. Celui-là, on le sent, ne commettra pas les imprudences de son complice.

La main de Simon glisse vers son mocassin et il se redresse tenant lui aussi son couteau, à la façon d'un homme qui sait s'en servir.

Tout cela s'est passé si vite que Jeanne est restée figée de surprise. Elle entend un bruit de pas derrière elle. Quelqu'un la bouscule, et un troisième homme armé lui aussi d'une hache, la dépasse et d'un bond de fauve, il saute sur le dos de Rouville et lui entoure la taille de ses jambes. Sauvagement, il lui empoigne les cheveux, lui renversant la tête en arrière, exposant sa gorge sans défense à l'arme du géant blond.

D'une voix haletante, Simon ordonne:

— Jeanne. Cours au fort. Vite.

Il se penche, cherchant vainement à déloger celui qui le chevauche.

Galvanisée par l'ordre de son mari, Jeanne se réveille de sa léthargie. Une fureur sans nom s'empare d'elle à la vue de ces assassins qui menacent son bonheur et se mettent à deux pour attaquer Simon.

Brandissant la lourde poêle au-dessus de sa tête, elle calcule ses distances et l'abat de toutes ses forces sur la tête de l'homme à la hache. Il glisse à terre, mou comme un chiffon.

Sans perdre de temps à chercher comment il est libéré, Rouville, en combattant féroce et expérimenté, fonce tête première sur le barbu surpris. Les deux hommes roulent sur le sol, et luttent dans un silence plus menaçant que tous les cris.

De forces égales, ils ont le dessus chacun leur tour. Des poignets vigoureux arrêtent l'élan des couteaux et dans l'enchevêtrement des jambes et des bras, Jeanne ne sait plus qui est son mari et qui est l'ennemi.

Pourtant, elle est loin d'être un témoin passif. La poêle menaçante dressée au bout des bras, elle tourne autour des combattants, guettant sa chance d'intervenir.

Le souffle haletant, le grognement d'un effort, un juron étouffé rompent seuls le silence.

Soudain d'un coup de rein prodigieux, le barbu prend le dessus. Il dresse sa main armée. Simon, au dernier moment, intercepte le poignet menaçant et le maintient.

Jeanne saisit sa chance et pour la seconde fois, elle abaisse sa casserole vengeresse.

Hélas! au même instant, d'un rétablissement désespéré, Simon a dominé son adversaire, et c'est sur les cheveux noirs que la poêle s'abat avec un bruit sourd.

Comme une masse, le sieur de Rouville s'écroule sur son ennemi. Celui-ci a un sursaut, pousse un cri et ne bouge plus.

Devant les deux hommes immobiles, la furie de Jeanne s'évapore. Elle lâche sa massue trop efficace et tombe à genoux près de son mari. L'agrippant aux épaules, et s'arc-boutant de toutes ses forces, elle réussit à faire rouler sur le dos le grand corps inerte. Simon a les yeux fermés et du sang coule au coin de ses lèvres.

— Je l'ai tué, murmure Jeanne désespérée. Elle jette un coup d'œil rapide vers le barbu qui regarde fixement le ciel, son propre couteau enfoncé dans la poitrine.

Tremblante, la jeune femme appuie son oreille sur la chemise de cuir de son époux. Tout ce qu'elle entend, ce sont les battements tumultueux de son propre cœur.

Une ombre intercepte le soleil et lui fait lever la tête. Sa main, instinctivement se resserre sur le manche familier de la poêle. Personne, elle vivante, ne touchera au cadavre de son mari.

Une voix bourrue, celle du trappeur Charron, remarque:

— Un joli carnage. Rouville n'en fait jamais d'autre. Est-il mort?

— Je pense que oui, murmure Jeanne d'une voix étranglée.

— Il a souvent eu l'air mort, et ça n'était jamais vrai, commente le philosophe. Il appuie à son tour son oreille sur le cœur de son camarade. Il relève la tête, crache au loin et assure:

— Pas plus mort que moi. Il a une blessure? Un coup de couteau dans le dos?

La jeune femme ose à peine avouer:

— Non. Un coup de poêle à frire. C'est moi qui l'ai assommé par erreur.

Charron s'étrangle de rire. Il dit:

— Rouville a la tête dure. Ça va prendre plus qu'un fond de chaudron pour l'achever.

Ramassant l'arme du crime, il la soupèse dans sa main et disparaît entre les arbres. Deux minutes plus tard, il revient, tenant la poêle remplie d'eau. Il la vide sur la figure du blessé qui gémit et ouvre des yeux vagues.

— Simon, crie Jeanne, et maintenant que le danger est passé, elle fond en larmes.

Sans cérémonie, Charron fouille dans les poches du mort en marmonnant:

— Il en avait toujours sur lui, le salaud.

Il exhibe une bouteille d'eau-de-vie et soulève rudement la tête de Simon. Celui-ci pousse un gémissement et fait une grimace. Sans s'arrêter pour compatir, le trappeur lui verse une forte rasade dans la gorge.

Rouville tousse, crache, s'étouffe et se retrouve assis, le souffle coupé. Il empoigne la bouteille d'une main ferme et boit longuement, la tête renversée. Il semble avoir oublié la présence de son épouse, toujours assise sur ses talons derrière lui. Un chapelet d'injures monte à ses lèvres, lorsque ses yeux tombent sur le cadavre à ses côtés.

D'un coup de menton qu'il croit discret, Charron indique Jeanne. Surpris, puis confus, Simon la regarde. A-t-elle compris son langage imagé? Apparemment oui, car un éclair moqueur traverse ses yeux gris noyés de larmes.

Intrigué, le seigneur tâte son crâne et contemple sa main couverte de sang.

— Ils étaient donc partout? Il y en avait un quatrième?

Jeanne rougit et le trappeur s'étouffe de rire. Il indique la poêle et explique:

— Tu as une femme qui sait manier les chaudrons. À ta place, je ne la contredirais pas trop souvent.

La jeune femme soudain très affairée attache son mouchoir autour de la tête de sa victime. Charron qui a examiné les deux autres agresseurs revient vers eux.

— Si j'étais vous, je filerais avant que ces salauds ne retrouvent leurs esprits. Il pourrait y avoir d'autres malentendus. Venez, je vais vous faire un brin d'escorte. Ramassez vos affaires.

— Ma fenêtre, crie Jeanne en bondissant vers la porte. Elle est intacte. Avec sollicitude, elle la ramasse et la tient devant elle, laissant son mari se relever tant bien que mal en se cramponnant à un arbre.

Charron récupère le mousquet et l'accroche sur son épaule à côté du sien. Puis, riant toujours, il place la poêle entre les doigts tremblants de Simon.

— Porte ça, Rouville. Si quelqu'un t'attaque, tu pourras te défendre.

C'est ainsi que Jeanne eut sa fenêtre vitrée et que le sieur de Rouville, le Ongué Hegahrahoiotié redouté des Iroquois, revint chez lui couché au fond de son canot, se tenant le crâne à deux mains, et se fortifiant de temps en temps d'une gorgée d'eau-de-vie curative.

Pendant ce temps, Charron, tout émoustillé, enseignait à la jolie madame de Rouville comment avironner et lui prédisait un brillant avenir sur les rivières du Canada.

23

Fidèle à sa promesse, Simon a amené son fils à la chasse au petit gibier, dans une courte excursion. Le gamin, armé d'un fusil de bois habilement sculpté par Mathurin, est parti fièrement, une gibecière vide sur l'épaule, réplique miniaturisée de son père, avec son bonnet de fourrure et ses habits de cuir frangés confectionnés par Gansagonas.

Les chasseurs sont revenus triomphants à la fin de la journée. Simon avançait de son grand pas souple, obligeant Nicolas, épuisé et chargé du gros sac regorgeant de lièvres et de perdrix, à courir à ses trousses. Trop fatigué pour manger, l'enfant, ivre de fierté, s'était endormi, le nez dans son assiette. Son père l'avait déposé sur sa paillasse, dans la soupente, et l'avait recouvert avec sollicitude de la peau d'ours qui lui servait de couverture.

— Tu lui en demandes trop, avait reproché Jeanne qui commençait à penser que ses projets de rapprochements présentaient des inconvénients.

— Rassure-toi, mère poule, je ne suis pas la brute que tu crois. J'ai porté et le chasseur et le gibier, une grande partie du chemin de retour. Mais, évidemment, cela doit être tenu caché, et rendus au vieux chêne, chacun a repris son rôle. Il sera habile dans le bois, a conclu le père agréablement surpris de la découverte.

— De qui peut-il bien tenir cela? a rétorqué la taquine d'un air candide.

Le lendemain, Simon et le Huron Anonkadé son repartis pour abattre un orignal, cette fois. Le sieur de Rouville veut fumer beaucoup de viande pour l'hiver. L'expédition durera deux jours ou plus, suivant les fortunes de la chasse.

Nicolas, abandonné et désolé, les regarde s'éloigner. Sa petite silhouette, surmontée de l'énorme bonnet de fourrure, ressemble ridiculement à un gros champignon, et attendrit Jeanne. Le chien Miraud, assis frémissant au côté de son jeune maître, semble aussi déçu que lui de ne pas suivre les chasseurs. Gansagonas, absente depuis l'aube, cueille certaines herbes séchées et des racines qu'on ne trouve qu'à cette saison. Jeanne se propose bien de se faire expliquer leurs vertus dans le courant de l'hiver, quand l'intimité de la maison chaude aura fait fondre la réserve de la Huronne et vaincu son mutisme exaspérant. La Patte est absent, parti avec le Rouquin qui est venu le chercher pour quelques jours.

Avec sa vigueur habituelle, la jeune femme prépare des galettes de maïs. Tout aussi affairée, Isabelle installe sa poupée près de la porte, dans le ber confectionné par Simon. Chaudement recouverte d'une peau de lièvre tannée par Gansagonas, Zeanne écoute patiemment les interminables histoires racontées par sa jeune mère.

À midi, une délicieuse odeur de pâte chaude emplit

la cabane. Jeanne ouvre la porte et appelle Nicolas, le gourmand, que l'heure des repas arrache toujours à ses jeux fascinants.

Cette fois, aucun cri ne parvient à attirer le gamin. Même le sifflement strident qui donne des ailes à Miraud ne produit pas de résultat.

Inquiète, Jeanne fait le tour de la maison, son mousquet à la main. Le cœur serré, elle s'approche de la berge. Le canot est là, mais pas Nicolas. Même si le petit garçon se cachait, par dépit de ne pas avoir été invité à la chasse, son chien encore indiscipliné répondrait aux sifflements de Jeanne qui lui réserve toujours de délicieuses surprises.

Franchement angoissée, la jeune femme habille Isabelle, met sa cape grise, et le fusil chargé sur l'épaule, elle s'avance dans le sentier, appelant et s'arrêtant souvent pour écouter. Bientôt, elle doit prendre dans ses bras la fillette fatiguée. Ainsi encombrée, Jeanne parcourt tous les endroits familiers où Nicolas aurait pu se réfugier.

Au pied du gros chêne, la chercheuse, pleine d'espoir, dépose la petite fille endormie dans sa cape, et se rappelant les fugues de sa jeunesse, elle décide de grimper à son tour. Peut-être Nicolas a-t-il là-haut un navire ou un château, malgré son jeune âge? Elle ne voit pas comment il aurait pu atteindre la première fourche qui est hors de sa portée à elle, mais sait-on jamais? Du fils de l'ingénieux Simon, on peut tout attendre.

De son épouse aussi, car bientôt, Jeanne a appuyé une grosse branche morte sur le tronc, et retrouvant toute l'agilité de ses dix ans, la petite-fille du braconnier grimpe dans l'arbre avec assurance. Une nostalgie familière

l'envahit, lui faisant oublier un instant le but de son escalade. De la cime, on voit au loin le ruban brillant de la
rivière qui serpente, faisant une boucle devant le domaine
de Rouville. Elle doit se rendre à l'évidence. Nicolas ne
peut être dans le chêne.

Déçue, Jeanne reprend ses recherches vaines. Deux
fois, elle retourne à la cabane, espérant y retrouver un
rescapé repentant. Vers cinq heures, elle croise dans le
bois Gansagonas qui revient, chargée comme un mulet.

La Huronne accueille sans changement d'expression
la nouvelle de la disparition de Nicolas. Elle dépose son
fardeau, se penche sur le sentier, inspecte le sous-bois et
annonce dans un grognement:

— Pas de pistes. Feuilles mortes cachent. Soir venir.
Nous rentrer.

Fermement, la femme enlève des bras de Jeanne la
fillette qui pleure doucement, depuis des heures, consciente de la nervosité de sa mère adoptive.

Mais Jeanne, épuisée, ne peut se résoudre à abandonner Nicolas. Elle revoit la petite forme frêle, les yeux
pâles, si semblables à ceux de Simon. Une pluie fine se
met à tomber, et l'idée de l'enfant, seul dans la forêt
terrifiante, la remplit d'horreur.

Elle laisse dans la cabane Gansagonas et Isabelle, et
glissant dans sa poche quelques galettes et un morceau de
viande froide, la jeune femme repart dans la nuit tom-
bante. Inspirée soudain, elle escalade de nouveau le vieux
chêne, et fermement calée sur la plus haute branche, elle
prend le mousquet qui a tellement entravé son avance, et
en tire un coup en l'air. Rechargeant aussi rapidement
que possible, dans sa position instable, elle tire ainsi deux

autres coups, espérant que de cette hauteur, l'écho non étouffé par les arbres, portera aux chasseurs son appel de détresse.

Avant de redescendre, elle grignote une galette, relevant son capuchon pour se protéger de la pluie tenace. Où pourrait se réfugier un petit garçon déçu d'avoir été mis au rancart? Essayant de retrouver son âme d'enfant, Jeanne réfléchit.

Soudain, elle pense au ravin très profond qu'ils ont longé un jour avec Simon. Celui-ci a annoncé en montrant le fond du gouffre, cent pieds plus bas:

— L'hiver, parfois, des orignaux et des chevreuils tombent dans ce trou, et s'enfoncent dans la neige molle. On retrouve leurs squelettes au printemps.

Se pourrait-il que Nicolas, à qui rien n'échappe, ait décidé d'aller tout seul chercher lui aussi son orignal? Jeanne agrippe ses jupes et court entre les branches, se hâtant avant la complète noirceur. Confiante qu'elle saura s'orienter dans un bois, comme elle l'a fait tant de fois, sur les talons de son grand-père, l'imprudente ne pense pas à sa propre sécurité, ni aux menaces de la forêt canadienne, tellement plus dangereuse que le parc sauvage de Troyes.

Emportée par son zèle, elle manque de plonger tête première dans le ravin qu'elle cherche.

Son mousquet, qui s'accroche à une branche, l'arrête, un pied dans le vide. Elle entend beaucoup plus bas, la chute des cailloux qu'elle a délogés.

Penchée sur le gouffre, elle appelle encore:

— Nicolas. Nicolas.

Sa voix claire résonne longuement dans la nuit, signalant aux Indiens, s'il y en a, la présence d'une Blanche téméraire.

Jeanne siffle maintenant le son modulé qui attire toujours Miraud. De très loin, un aboiement étouffé lui parvient, à peine perceptible. Attentive, la chercheuse répète son appel et perçoit la même réponse. Miraud est quelque part en bas, au fond du ravin, et Nicolas aussi probablement. Peut-être le petit garçon est-il inconscient, ou blessé, ou même mort? Avec un frisson, Jeanne voit comme s'il était devant elle, le petit corps sans vie, fracassé sur les pierres.

Les yeux de la jeune femme, maintenant habitués à l'obscurité, discernent des buissons, des roches, qui parsèment ici et là la descente en pente raide. Il lui faut emprunter ce chemin hasardeux. Que faire du mousquet? S'en encombrer ou l'abandonner? Le danger, en bas, n'en est pas un auquel on fait face avec une arme. C'est l'agilité qui prime maintenant.

Elle accroche le fusil à une branche et rejetant en arrière sa cape lourde de pluie, elle se retourne, se met à quatre pattes, et recule dans la pente de plus en plus à pic. Les branches mouillées s'échappent de ses doigts crispés, les pierres roulent sous ses gros souliers et cascadent sous ses genoux écorchés. Souvent elle glisse à plat ventre, cherchant désespérément à ralentir sa chute. Il semble à Jeanne que cette descente aux enfers dure depuis des heures.

Les mains en sang, la figure éraflée, les cheveux hérissés, elle se retrouve à genoux au fond du ravin, les oreilles emplies des sanglots de sa respiration haletante.

Péniblement redressée, elle siffle de nouveau, doucement.

La réponse étranglée lui arrive de si près qu'elle sursaute de terreur. Elle entend dans la nuit noire les battements de la queue de Miraud et les efforts désespérés du chien pour la rejoindre. La corde avec laquelle Nicolas le retient dans le bois, pour l'empêcher de courir après les lièvres, doit être coincée quelque part.

Guidée par le bruit, la jeune femme avance, les mains étendues devant elle, traînant ses pieds sur le sol. Elle trébuche sur des pierres, enjambe des troncs d'arbre renversés et fait détaler à grand bruit un petit animal nocturne aussi surpris qu'elle-même. Miraud geint sans arrêt, dirigeant ses recherches aveugles.

Finalement, elle le rejoint, près d'un énorme arbre mort. Comme prévu, sa corde est enroulée à une branche. La langue chaude lèche sa figure et ses mains, pendant que, à quatre pattes, elle tâte autour du chien en appelant doucement:

— Nicolas. Où es-tu, Nicolas? N'aie pas peur, c'est maman. Nicolas, réponds-moi.

— Maman, murmure une petite voix tremblante.

Avec un cri de joie, Jeanne entoure de ses bras la forme frêle étendue entre deux grosses roches.

— Tu me fais mal, gémit le petit garçon en pleurant. Maman, je ne veux plus chasser. Ramène-moi à la maison.

Providentiellement, la lune surgit à ce moment, illuminant d'un éclat vague le fond du gouffre où même ses rayons arrivent tamisés. Avec des mains aussi légères que possible, la jeune mère inspecte l'enfant des pieds à la tête. Il est trempé, fiévreux, et d'après ses plaintes et l'angle de son poignet, il a un bras cassé. Jeanne réalise très bien qu'il ne saurait être question de le déplacer avant le jour. Elle s'occupe donc résolument à organiser leur veille.

Encore une fois, elle met à contribution un des six grands mouchoirs de son trousseau. Si Louis XIV savait comme ses cadeaux sont utiles, il s'en réjouirait, pense-t-elle, en fabriquant une attelle avec des branches droites et le carré de coton. Elle déchire un coin de son jupon et essuie la figure brûlante du petit qui se cramponne à elle. En écartant les branches de l'arbre mort près duquel Nicolas a roulé, elle découvre sous cet abri de fortune un endroit relativement sec. Elle y installe le blessé dans sa cape dont elle bénit maintenant l'ampleur encombrante.

Imitant un geste de Gansagonas, elle replie une feuille d'arbre et patiemment, en tendant son bras dans la pluie qui augmente, elle recueille quelques gouttes d'eau qui désaltèrent l'enfant. Ils partagent la galette qui reste, et la viande froide dont Miraud a une part.

Puis Jeanne appelle le chien qui vient se serrer contre eux. Blottis tous les trois dans la cape de la fille du Roy, les réfugiés transis attendent le lever du jour. Nicolas délire par moments, et d'autres fois, il tremble de peur. Jeanne lui raconte à voix basse toutes les histoires amusantes de son répertoire. Bientôt, la tête bouclée du petit retombe lourdement sur le bras maternel qui l'enveloppe. La jeune femme compte les heures, écoute les frémissements des ténèbres et retrouve, malgré ses inquiétudes et son inconfort, la sérénité qu'elle aimait tant d'une nuit en forêt.

Oubliant ses résolutions de monter une garde farouche, elle s'endort à son tour, épuisée.

C'est devant le tableau touchant de sa femme et son fils, sales et ensanglantés, endormis dans les bras l'un de l'autre, que Simon se retrouve au matin. Miraud, seul vaillant, ne bouge pas, conscient, semble-t-il, de son rôle calorifique.

Les chasseurs ont couru le bois toute la nuit, alertés par les coups de feu lointains. Les pistes que le jour levant a permis de déchiffrer et le mousquet accroché à un arbre, ont conduit les sauveteurs au fond du ravin.

Anonkadé remonte avec Nicolas attaché à son dos. Simon tire et pousse Jeanne, dont l'agilité le surprend, pour escalader la falaise abrupte. En plein jour, prise de vertige, la jeune femme bénit la nuit noire qui lui a caché les dangers de la descente. Son mari insiste pour la porter dans ses bras jusqu'à la cabane, et même si elle peut très bien faire le trajet à pied, Jeanne s'abandonne contre la poitrine robuste où le cœur de son mari bat encore à grands coups. Pour la première fois de sa vie, la jeune femme se dit qu'il doit y avoir des avantages à être faible et sans défense. Puisque c'est ainsi que Simon persiste à l'imaginer, elle joue le rôle avec plus ou moins d'habileté.

Gansagonas, impassible, les accueille devant la porte.

— Elle était très inquiète, assure le chasseur à son épouse sceptique. Sait-il lire dans le cœur des Indiens?

Jeanne puise dans son grand sac de médicaments et prépare une potion pour Nicolas. Assistée de Simon, pâle sous son hâle, elle replace l'os du poignet et confectionne avec des planchettes une éclisse presque aussi profession-nelle que celles de Sœur Bourgeoys.

Rassuré sur le sort de sa famille, et voyant la Patte revenu de son excursion, le sieur de Rouville repart, le Huron sur les talons, chercher la viande de l'orignal qu'ils ont abattu la veille.

24

Depuis deux jours, Simon, Mathurin et le couple des Hurons fument la viande dans une cabane préparée à cet effet derrière la maison. Très affairés tous les quatre, ils refusent l'aide de Jeanne.

Isabelle dort et Nicolas, encore fiévreux, est couché sur le grand lit avec Miraud. C'est une de ces journées-surprises que l'automne réserve parfois aux Canadiens, où un soleil d'été darde ses rayons réchauffants.

Désœuvrée, car elle n'ose faire de bruit dans la maison, Jeanne va s'asseoir au bord de l'eau. La rivière calme reflète les arbres dénudés. Seules quelques feuilles obstinées égaient la muraille sombre des conifères.

Le canot renversé repose sur la berge. Débordant d'énergie, Jeanne décide de mettre en pratique, discrètement, les leçons d'aviron du trappeur Charron. Aussitôt pensé, aussitôt accompli.

L'embarcation d'écorce est facile à retourner et à pousser à l'eau. Suivant les conseils reçus, Jeanne se déchausse. Elle abandonne sa cape trop chaude, mais imitant Simon, elle dépose à ses pieds, au fond du canot, l'inévitable mousquet.

La jeune femme est adroite. Elle se remémore les instructions reçues et les gestes si aisés accomplis par son mari, sous ses yeux, pendant les heures de voyage. Bientôt, le canot avance, tourne, recule, obéissant docilement au moindre coup d'aviron. C'est vraiment très simple, elle ne voit pas pourquoi Simon a tant fait de façons pour l'empêcher d'apprendre. Elle s'avance vers le milieu du cours d'eau. Si son mari pouvait la voir maintenant, il en reviendrait de ses ridicules préjugés. Elle dirige le canot vers la rive et lève les yeux. Justement, Simon tourne le coin de la maison, sa hache sur l'épaule.

Triomphante, Jeanne élève la main pour le saluer. Sans autre avertissement, le canot, tantôt si docile, continue le mouvement et tourne à l'envers, expédiant sa passagère dans l'eau glacée.

La respiration coupée, la jeune femme donne un coup de talon pour remonter à la surface. Dès l'âge de huit ans, elle nageait comme un poisson dans le grand étang de la forêt de Troyes. Son grand-père trouvait cet exercice essentiel et salutaire, contrairement à tous les gens de son époque. Nager est un art qui ne s'oublie pas.

Le canot flotte, à demi submergé, un peu plus loin. Quelque chose de dur s'enfonce rapidement, frôlant la jambe de la naufragée.

— Mon mousquet, pense Jeanne atterrée.

Cette arme si précieuse est irremplaçable. Rassemblant son courage et son souffle, la nageuse plonge à la poursuite du fusil. Heureusement, à la première tentative, ses doigts déjà engourdis se referment sur le canon. Elle remonte, soulagée, décidée à rejoindre le canot et à le pousser devant elle jusqu'a la rive qui est toute proche. Elle en sera quitte pour un rhume et une semonce de son époux courroucé.

Justement, elle l'aperçoit qui dévale la pente en jetant hache, mousquet et bonnet de fourrure. Il vole à son secours, sans réaliser qu'elle n'est pas en danger et peut très bien se tirer d'affaire.

En courant, il crie pour l'encourager, et sa voix forte parvient à la nageuse. Il crie:

— Attends-moi, Aimée. J'arrive.

À ces mots Jeanne sent toutes ses forces l'abandonner. Doucement, elle s'enfonce sous l'eau glacée, entraînée par le poids du fusil qu'elle ne lâche pas. Ses longs cheveux dénoués flottent derrière elle, et devant ses yeux ouverts, l'eau devient de plus en plus sombre. Elle voudrait mourir, elle est déjà morte, car celui qu'elle aime lui préfère un souvenir.

Une main de fer agrippe son bras, la projette hors de l'eau et la maintient solidement. Incapable de résister, le mousquet entre les mains, Jeanne se laisse traîner sur la rive. Simon, sans délicatesse, la retourne sur le ventre et lui administre entre les épaules deux claques retentissantes qui la font cracher de l'eau.

Dans son énervement, il n'a même pas remarqué son erreur malheureuse. Il ramasse sa femme dans ses bras et court vers la maison en appelant Gansagonas à grands cris.

Toujours sans réaction, la jeune femme s'abandonne, se demandant si c'est cela, mourir. Son cœur serré lui fait mal, sa gorge contractée ne laisse pas passer une parole et tous ses membres lourds ballottent comme ceux de la poupée d'Isabelle.

Simon, aidé de la Huronne à qui il donne des ordres brefs dans sa langue, déshabille la noyée et l'enveloppe dans la courtepointe.

Mathurin, galvanisé par des instructions entrecoupées de jurons, allume un feu gigantesque dans l'âtre.

Simon dépose son épouse inerte devant la flamme et la couvre de toutes les peaux de fourrure de la maison. Lui si adroit habituellement, il renverse le chaudron en préparant un mélange d'alcool et d'eau chaude. De force il fait glisser le liquide entre les lèvres bleuies. Il oublie que, trempé jusqu'aux os, il tremble lui-même de froid.

Il s'affaire, frottant vigoureusement les mains et les pieds glacés. Il maugrée entre ses dents:

— Petite folle. Tu m'as fait une de ces peurs. Et tu n'as même pas lâché ce maudit fusil qui t'entraînait. Jeanne, ne recommence jamais cela.

Il dit «Jeanne» maintenant, absolument inconscient de l'appel échappé de ses lèvres dans un moment d'angoisse.

La jeune femme entend près de sa tête les pleurs d'Isabelle épouvantée et la question étranglée de Nicolas:

— Elle est pas morte, elle aussi?

Émue par le désespoir des enfants, Jeanne dans un grand effort tourne la tête vers eux. Elle murmure:

— Ne pleurez pas, mes chéris. Je suis bien maintenant.

Ces deux-là au moins ont besoin d'elle, même si elle demeure pour eux une mère d'emprunt.

Pour Simon, elle est et demeurera la réplique de

l'épouse perdue. Aimée lui a prêté sa figure, ses enfants, sa maison, mais elle conserve jalousement, dans la mort, le cœur de son mari.

Des larmes coulent lentement sur les joues pâles de Jeanne. Simon, agenouillé près d'elle, la berce dans ses bras trop forts et murmure des mots tendres dans son oreille. Lasse, elle détourne la tête et refuse d'entendre ces phrases d'amour destinées à une autre. Elle tombe dans un lourd sommeil, avec la même sensation qu'elle a éprouvée lorsque l'eau glacée l'attirait tantôt vers le refuge de l'oubli.

25

Le premier jour de décembre, quatre grands canots s'arrêtent devant le domaine du sieur de Rouville. Le Rouquin,
des Hurons et des trappeurs viennent chercher leur compagnon de chasse pour l'expédition d'hiver.

Le courant tumultueux du Richelieu permet encore
la navigation, mais très bientôt, les glaces se formeront
pour de longs mois. Les voyageurs abandonneront alors
leurs canots pour des raquettes et reprendront les embarcations au printemps, après la «débâcle». Les rivières demeurent les meilleurs chemins pour transporter rapidement les fourrures jusqu'aux comptoirs de Ville-Marie et
de Québec.

Des traités récents avec les Iroquois faisaient espérer
une période de paix, et les coureurs des bois craignaient
moins de s'enfoncer dans la forêt en abandonnant leurs
familles pour quelques mois.

Avec des cris et des plaisanteries, les arrivants acclament le seigneur, et saluent leur vieil ami La Patte qui a
dû renoncer à les suivre depuis son accident, il y a quelques années.

Simon, rassuré sur le sort de sa femme et de son fils, attend sur la berge, debout à côté de son sac. Nicolas, le bras en écharpe, promet solennellement de ne plus s'éloigner, car il a été chargé de veiller sur sa mère et sa sœur.

Jeanne, encore pâle et dolente, assiste au départ, appuyée dans l'embrasure de la cabane. Son mari s'en va le cœur léger, sachant qu'il laisse derrière lui une femme compétente et des enfants joyeux.

De la porte, Jeanne lui envoie la main une dernière fois. Elle sent encore sur ses lèvres ce baiser ardent qui devait être pour l'autre. C'est avec soulagement qu'elle voit la haute silhouette s'éloigner, à la proue d'un des deux canots. Elle n'en pouvait plus de jouer le rôle de l'épouse heureuse et forte. Elle envisage avec bonheur ces semaines de solitude.

Peut-être qu'un cœur brisé se raccommode avec le temps, comme un os cassé? Quand la dernière embarcation disparaît au tournant de la rivière, Jeanne referme la porte et essaie de se convaincre qu'elle souhaitait ce départ, qu'il devenait nécessaire.

Sa nature énergique reprend vite le dessus. Les longs désespoirs s'accordent mal avec son optimisme.

L'existence paisible s'organise sous la neige qui tombe dès ce premier soir. Pelotonnée dans le grand lit vide, Jeanne refuse de penser à Simon qui dort, quelque part dans la forêt, à même le sol glacé. À moins qu'il n'ait déjà rejoint la belle Indienne qui répare les chemises avec ses cheveux.

Pendant les mois suivants, la châtelaine du domaine de Rouville cherche par tous les moyens à améliorer son sort et celui de sa famille. Nicolas et Isabelle, tout heureux de l'aubaine, descendent partager son lit. L'Indienne Gansagonas, contrairement aux prédictions de Simon, consent volontiers à abandonner son abri précaire pour emménager dans la soupente. Seul, Anonkadé, son frère, refuse d'habiter la maison.

Pendant les grands froids, Mathurin, cordialement invité, vient dormir devant le feu qu'il alimente toute la nuit, ce qui évite une corvée à la maîtresse de maison.

Comme prévu, Gansagonas s'humanise peu à peu, gagnée par l'amitié chaleureuse de la fille du Roy. La Huronne se révèle un professeur plein de ressources. Elle enseigne les chants de sa tribu et des recettes rustiques. Le soir, devant l'âtre, le groupe disparate écoute avec fascination les histoires merveilleuses de Jeanne, la conteuse experte qui fait revivre la mythologie, l'histoire ancienne et les romans de chevalerie.

À ces occasions, même Anonkadé le Huron, vient s'asseoir par terre près de la porte. Il ne parle jamais, mais sa sœur assure qu'il comprend très bien le français.

Comme l'a dit Pierre Boucher dans son livre sur le Canada: «L'hiver, bien que la terre y soit couverte de neige et le froid un peu âpre, n'est pas toutefois désagréable. C'est un froid qui est gai.»

Quand la tmprérature le permet, tout le monde sort prendre l'air. Anonkadé et Gansagonas ont fabriqué des raquettes pour tous, y compris pour la minuscule Isabelle. Les cerceaux de bois léger, durcis au feu et recourbés en ovale sont traversés par des lanières de cuir appelées babiches. Des mocassins doublés de fourrure rendent la démarche légère et rapide.

Emmitouflés jusqu'aux yeux, Jeanne et les enfants apprennent à circuler en raquettes.

Emporté par l'exubérance communicative de sa jeune maîtresse, le Huron confectionne une traîne rustique formée de deux planches de bois relevées d'un côté et rattachées par des courroies.

Miraud qui grandit chaque jour, au grand désespoir de Jeanne, consent à tirer Nicolas ou Isabelle dans ce véhicule instable. Le tout se termine par des culbutes dans la neige et des cris de joie. Les trois camarades, Jeanne et les enfants, découvrent aussi le plaisir de dévaler la pente jusqu'à la rivière gelée, empilés pêle-mêle dans la traîne rapide.

L'orpheline a toujours été bruyante. Après s'être efforcée pendant des semaines à la pondération, en présence de son époux, sa vraie nature remonte à la surface. Plus elle rit et chante, plus les enfants s'épanouissent.

Ce n'est que le soir, dans le silence de la nuit, ponctué des ronflements de Gansagonas et de la Patte, que Jeanne retrouve la douleur qu'elle réussit à étourdir pendant le jour. Orgueilleuse, elle chasse ces idées noires, se refusant à pleurer sur un ingrat qui, lorsqu'il pense à elle, l'appelle du nom d'une autre.

Jeanne accompagne souvent Mathurin lorsqu'il traîne la patte dans la neige pour aller faire le tour de ses collets. Le vieux chasseur constate bientôt avec surprise qu'elle en connaît presque autant que lui là-dessus. Malgré la température glaciale, les habitudes des animaux de la forêt canadienne ne diffèrent pas tellement de celles des proies de son grand-père, et même les pièges se ressemblent.

Bientôt, la jeune femme peut faire la tournée à sa place, lorsque les rhumatismes retiennent le pauvre boiteux au coin du feu.

Plusieurs fois, avant le départ de Simon, des coureurs des bois ou des Indiens avaient arrêté leurs canots pour saluer le seigneur. Si les visiteurs ramenaient un éclopé ou un malade, ce qui était assez fréquent, les talents médicaux de Jeanne étaient mis à contribution. Le calepin de Sœur Bourgeoys, appris par cœur, permettait de faire face à toutes les situations. Les conseils et les herbes offerts par les guérisseurs de Sorel et de Chambly se révélaient précieux.

Peu à peu la réputation de la «petite dame Rouville» grandit et se répandit. Plusieurs fois au cours de l'hiver, des gens arrivaient en raquettes, venant réclamer un conseil ou des remèdes pour des maladies rebelles.

Toujours hospitalière, la jeune femme donnait un repas chaud en plus de ses prescriptions détaillées. On vint même la chercher pour des cas désespérés, l'entraînant à des milles de distance, vers des cabanes perdues dans la forêt. Jeanne apprit qu'elle avait des voisins, comme on a des voisins en Nouvelle-France, c'est-à-dire des gens qui demeurent à cinq, dix ou vingt milles de distance.

On escortait la «guérisseuse», on la tirait dans une traîne si le trajet était trop long. Souvent, son absence durait plusieurs jours, mais la Patte et Gansagonas s'occupaient des enfants. «On ne refuse pas souvent, en Nouvelle-France. Faut que chacun fasse sa part», avait dit le Rouquin.

Avec son esprit pratique, Jeanne, lorsqu'on offrait de rémunérer ses services, demandait des paiements en nature. On lui promit un cochon et quelques poules pour le printemps. Une vieille, dont elle guérit le fils qui s'était entaillé le pied avec sa hache, lui donna de la laine grise et lui enseigna comment tricoter. Laborieusement, à son retour, l'ouvrière malhabile confectionna des mitaines pour tout le monde, de Mathurin à la poupée Zeanne.

Elle accumula des pommes de terre, rares et recherchées, et des sacs de pommes séchées. Elle hérita d'un chaton qui élut domicile dans le ber de Zeanne et mêla son ronronnement satisfait à celui du feu dans l'âtre. Miraud, devenu grand comme un loup, joua patiemment le rôle de père adoptif du petit félin tyrannique.

Jeanne apprit à faire des accouchements, à réduire des fractures et, malheureusement, à ensevelir les morts.

Une nuit inoubliable, un Huron taciturne la mena dans une course folle vers son village à huit milles de la maison. Dans une des longues cabanes où étaient assemblés des Indiens silencieux, on lui montra un enfant, le fils d'un des grands sachems de la tribu, qui étouffait dans une crise de faux croup.

Sur les ordres de la jeune femme, les hommes de la cabane érigèrent au centre du plancher une tente de couvertures. Enfermée sous cet abri avec l'enfant agonisant dans les bras, Jeanne fit apporter des pierres brûlantes que l'on arrosait d'eau froide. La vapeur intense aidait le petit à respirer.

Cette cure lui avait été recommandée par le bonhomme Hippolyte de Chambly. Les choses auraient été facilitées, si cette tribu avait eu, comme beaucoup d'autres, l'habitude d'ériger des «sueries», sorte de four dans lesquels les gens s'enfermaient. Au sortir de ces étuves, les

Indiens couraient se jeter à la rivière et se frictionnaient vigoureusement.

Gansagonas lui avait décrit ces coutumes qui étaient la principale notion d'hygiène naturelle des peuplades sauvages. Malheureusement, il n'y avait pas de «suerie» dans la cabane, mais Jeanne en fit construire une. Toute la nuit, la tribu en émoi fit chauffer les pierres et fondre la neige, pendant que le sorcier hurlait des incantations lugubres.

Au matin, l'enfant était sauvé, et la guérisseuse épuisée et ruisselante de sueur le remit à sa mère. Celle-ci ne dit pas un mot de remerciement, mais Jeanne lut sa reconnaissance dans ses yeux et se jugea récompensée.

Elle se retrouva nez à nez avec le sorcier. Celui-ci proclamait bien haut que ses interventions magiques avaient été seules responsables du miracle. La famille, partagée, ne savait plus qui croire. Le village prenait parti et le ton s'échauffait. Tous ces gens qui n'avaient pas bronché dans l'attente de la mort, se passionnaient maintenant pour une querelle sans importance.

Jeanne qui commençait à comprendre un peu la langue huronne, grâce aux leçons de Gansagonas et de Mathurin, intervint avec la sagesse d'un Salomon. Elle affirma que seule la collaboration de leurs deux sciences avait assuré la guérison.

Plus tard, on revint la chercher pour soigner le vieux chef centenaire qui ne demandait pourtant qu'à aller rejoindre ses ancêtres. La petite-fille du braconnier constata, en écoutant parler le mourant, que les terrains de chasse du Grand Manitou ressemblaient beaucoup à ceux ou l'attendait son aïeul, Honoré Chatel. Elle imaginait facilement ces deux vieillards dignes assis ensemble au bord d'un ruisseau, à l'affût d'un gibier céleste, et cette idée lui réchauffa le cœur.

Le vieux chef mourut, comme le voulait sa destinée, et le sorcier déclara n'avoir rien eu à voir dans toute l'affaire. Le petit-fils du chef, qui vénérait son grand-père, mais attendait avec impatience son tour de gouverner, remit à Jeanne un manteau fait de peaux de loup, si chaud et confortable qu'elle n'eut plus jamais froid.

Lorsqu'une délégation de Hurons la ramena chez elle, vêtue de fourrure, assise dans une traîne, tirée au pas de course par des guerriers chaussés de raquettes, elle souhaita un instant que Simon pût l'apercevoir dans cet équipage digne d'une fille du Roy. Avec un nouveau déchirement, elle se rappela que même alors, il verrait Aimée à sa place. Résolument, elle repoussa le souhait instinctif de son cœur qui aurait voulu rendre son mari témoin de ses moindres entreprises.

Noël, pour tous ces gens qui n'en avaient jamais connu la douceur, fut, à l'instigation de Jeanne, une fête joyeuse et tapageuse. On échangea des cadeaux laborieusement confectionnés en cachette. La maîtresse de maison servit un festin. La Patte s'enivra et pleura d'émotion en disant à la jeune femme qu'elle était aussi bonne que sa défunte mère.

Gansagonas déclara en confidence que jamais chez les Rouville on n'avait ri et chanté. La première «squaw» du seigneur était toujours triste et la maison silencieuse.

Dans son lit, Jeanne se dit avec amertume que cela n'avait pas empêché Simon de l'aimer à jamais, et que si leur bonheur futur dépendait de son silence à elle, il ne survivrait pas longtemps.

26

En mars, le temps s'adoucit. Quelques giboulées tardives essayèrent de ramener l'hiver, mais le printemps était dans l'air.

Avec un craquement sourd, la glace du Richelieu s'enfonça un matin. C'était la fameuse «débâcle». À cause de son courant tumultueux, la rivière des Iroquois était toujours parmi les premières à devenir navigable chaque année.

Deux jours plus tard, avec un long sifflement strident, Simon annonce son arrivée bien avant que les canots ne débouchent au détour de la rivière.

Miraud qui déteste tous les Indiens, à part les deux «siens», Gansagonas et Anonkadé, dresse l'échine et donne l'alerte. Les enfants sautent sur la rive, la Patte agite les bras et crie de sa voix de fausset. Jeanne, étouffée d'émotion, bondit vers la berge sans même penser à revêtir sa cape. Emportée par son impulsion, elle avait oublié toutes ses réticences.

La vue de la silhouette familière et l'appel résonnant de la voix forte de Simon font battre son cœur. Les yeux

verts dans la figure amaigrie n'ont de regards que pour
elle.

Abandonnant le canot lourdement chargé aux
Hurons qui avironnaient, le trappeur saute dans l'eau
glacée et s'avance, les bras tendus.

Nicolas et Isabelle, ne doutant pas un instant que
cette accolade soit pour eux, s'y précipitent avec des cris
de joie. Pour la première fois de sa vie, Simon était reçu
avec des démonstrations de bienvenue. Il s'agenouille et
serre ses enfants sur son cœur. Par-dessus leurs têtes, il
dévisage la figure fraîche et souriante de sa jolie épouse,
les yeux gris pleins de tendresse.

Aussitôt, le démon familier souffle à l'oreille de
Jeanne: «C'est Aimée qu'il vient retrouver.» Un froid glacial envahit la jeune femme, se communiquant à son insu
jusqu'à sa figure trop expressive. Un grand frisson la secoue.

Simon bondit sur ses pieds, et l'entoure de ses bras
autoritaires. Comme toujours, il ne mesurait pas sa force,
et elle étouffe sous son étreinte. Reprenant immédiatement ses droits, comme si elle avait été incapable de penser par elle-même pendant son absence, il gronde:

— Tu n'est pas habillée pour piétiner dans la neige.
Rentrons vite.

Il ne voulait pas se montrer trop démonstratif sous
les regards railleurs de ses camarades, et devant la figure
poliment impassible des Indiens. Il ne s'était pas rendu
compte que son impétuosité même l'avait déjà trahi.

Laissant Mathurin et le Rouquin organiser le débarquement de ses rares possessions et de ses nombreux
ballots de fourrure, le sieur de Rouville remonte vers sa

cabane dont la cheminée fume vaillamment. Un rayon de soleil fait briller de tout son éclat l'unique et magnifique fenêtre de deux pieds carrés, orgueil de la famille.

Miraud à leur trousse, les quatre Rouville entrent chez eux, et la porte se referme sur leurs talons. Deux minutes après, elle s'ouvre de nouveau, et on voit Simon pousser dehors Nicolas et Isabelle à qui il vient de confier pour le Rouquin un message aussi urgent qu'inutile. Miraud et même le chat se retrouvent aussi ignominieusement chassés.

Fermement, le madrier qui barricade l'issue retombe en place, et Simon enfin seul se retourne vers sa femme et la fait tourbillonner dans l'espace étroit. Son exubérance rapproche toujours dangereusement les murs qui l'enferment. Toutes les maisons deviennent trop petites, emmenant avec lui la forêt et les grands espaces.

Il murmure: «Jeanne, Jeanne», dans ses cheveux, et elle écoute méfiante, attendant l'erreur qui le trahira. Et pourtant, elle voudrait tant s'abandonner et être heureuse sans restrictions.

27

Pendant quinze jours, une frénésie d'activité met la cabane en ébullition. Le sieur de Rouville coupe des arbres et agrandit son domaine, aidé de Mathurin et du Rouquin.

Malheureusement, dès le mois d'avril, il lui faudra repartir pour Katarakoui, près du lac Ontario, afin d'aider son ami Cavelier de la Salle à construire un fort pour le gouverneur Frontenac. La réputation du Bâtisseur lui impose de lourdes responsabilités.

Contents de se retrouver, la Patte et le Rouquin d'Amiens se chamaillent amicalement à longueur de journée.

Simon confie à son épouse:

— Notre Rouquin s'est transformé, tout à coup. Il tient tête à tout le monde, est devenu plus batailleur qu'un carcajou et n'accepte plus d'ordres que de moi. Il parle de toi avec une vénération exaspérante. C'est un nouvel homme depuis cet hiver. Je ne sais pas quelle mouche l'a piqué.

Honnêtement, le seigneur doit conclure:

— Cela rend la vie plus difficile, mais au fond, j'en suis bien content pour lui. C'était un bon gars, mais trop timide et effacé.

La «mouche» qui a piqué le garçon n'a garde de trahir sa part dans l'émancipation du protégé de son mari. Ce que dix ans de bourrades affectueuses de son patron n'avaient pu obtenir, une remarque libératrice l'a accompli: «L'important, Rouquin, c'est que toi, tu sois là.»

Si Jeanne pouvait, d'une phrase, régler aussi son propre dilemme.

Souvent, Simon parle de son ami qui doit venir le rejoindre pour aller au lac Katarakoui.

— De Preux revient d'un grand voyage d'exploration vers le nord avec La Salle. Nous avons fait déjà plusieurs expéditions ensemble, tous les trois.

Jeanne sent le regret qui perce malgré lui dans le ton de son époux. Il n'est pas facile de renoncer à l'ivresse de la liberté, elle en sait quelque chose.

Brusquement, le trappeur relève la tête, abandonne la construction d'un banc réclamé par sa femme pour remplacer la bûche inconfortable sur le seuil.

— J'y pense, Jeanne. De Preux est un de tes concitoyens. Il m'a déjà dit qu'il vient de Troyes. Tu le connais peut-être?

Simon, fils de la noblesse, semble incapable de concevoir l'existence solitaire vécue par la petite-fille d'un proscrit et par une orpheline enfermée dans un cloître. Patiemment, la jeune femme explique de nouveau sa situation et conclut:

— Je ne connais aucune famille de ce nom. J'ai vécu

une vie très retirée. Personne n'a combattu en duel à cause de moi.

Simon se remet à l'ouvrage avec un air très affairé. La langue de son épouse est dangereusement pointue, ces jours-ci.

La Patte et son jeune confrère partagent la petite hutte au bord de l'eau. Gansagonas a réintégré son abri rustique et les enfants remontent chaque soir dans leur grenier. L'existence reprend son cours, comme si les brefs séjours du maître de la maison étaient les véritables tranches de vie, et tout le reste des longs mois d'absence, de simples intermèdes d'attente.

Jeanne demande à Simon de lui construire un four, dehors, car elle a appris à faire du pain, lors d'une de ses expéditions de guérisseuse, et plusieurs «clients» lui ont offert de la farine, plus précieuse que l'or.

Le sieur de Rouville accueille avec un grain de sel les récits des guérisons de son épouse. La notion de la faible femme sans ressources est tenace. Son premier mariage l'a conditionné à ce sujet.

Il accompagne donc Jeanne, «pour la protéger», lorsqu'elle part une nuit avec deux individus patibulaires dont le vieux père s'est fait écraser la jambe sous un arbre qu'il abattait. Ils avancent rapidement dans des sentiers à peine tracés, et Rouville, chargé du sac de Sœur Bourgeoys, n'en revient pas de voir son épouse, chaussée de mocassins, son mousquet sur l'épaule, soutenir ce pas rapide mille après mille.

L'opération a lieu, dans le concert des hurlements de la victime et des lamentations de sa vieille femme. Simon se précipite dehors, pâle et vomissant dès qu'on n'a plus besoin de sa force pour maintenir le malade. Jeanne, qui se souvient de sa propre réaction à bord du bateau, à son premier blessé, sort lui procurer ses encouragements et donner son verdict.

— Le pauvre vieux ne marchera plus droit, mais au moins, il vivra.

Simon s'en veut de sa faiblesse:

— Pourtant, je n'ai pas hésité quand il a fallu replacer les os de la Patte. Mais de te voir coudre avec du fil blanc, dans toute cette boucherie, ça m'a retourné. Tu es tellement calme et rassurante. Il y a bien des fois où j'aurais apprécié tes bons soins.

— Comme lorsque tu as reçu cette blessure dans le dos?

La question innocente va-t-elle provoquer des confidences au sujet de la belle Indienne aux longs cheveux?

Sans méfiance, Simon incline la tête:

— Cette fois-là, entre autres. Tu aurais eu la main plus douce que le Rouquin. Il m'a soigné en répandant de la poudre à fusil dans la plaie et en y mettant le feu. Je me croyais chez les Iroquois, au poteau de torture.

— Ah! Et qui a réparé ta chemise?

— Gansagonas, à mon retour. Tu as vu comment elle s'y prend? Elle coud avec ses cheveux.

Jeanne a honte de ses soupçons, maintenant. Après quelques heures de repos, les Rouville prennent le chemin du retour. Éperdue de reconnaissance, la famille du blessé a insisté pour leur offrir un cadeau et, au grand amusement de son mari, la jeune femme a demandé à l'aîné qui est forgeron de lui fournir une porte de four à pain. En attendant d'aller lui porter ce cadeau bien mérité, le forgeron lui donne une paire de tenailles pour ajouter aux instruments rudimentaires de sa trousse de secours.

28

La neige couvre encore le sol, mais le chaud soleil d'avril la fait fondre chaque jour.

— Ça sent le printemps, dit la Patte, et Jeanne découvre avec délice cette saison courte et magique de la Nouvelle-France lorsque l'air est léger, et que l'hiver et l'été se livrent une guerre ouverte sous les yeux émerveillés de ceux qui savent regarder.

On a entaillé les érables, et la sève coule dans les contenants d'écorce. Gansagonas et sa maîtresse la font bouillir longuement sur de grands feux entretenus par les hommes. Lorsque le liquide s'est évaporé en vapeur parfumée, il reste du sucre d'érable dont on fait provision pour l'année.

Les procédures sont interrompues de temps en temps par les enfants et même les coureurs de bois qui réclament le plaisir de goûter à la tire versée sur la neige et enroulée sur des bâtons. L'Indienne fronce les sourcils à ce gaspillage de matière première.

Jeanne, les joues en feu, les cheveux frisés par l'humidité, un bout de langue sortie dans sa concentration, remue avec une palette de bois le délicieux mélange qui bout furieusement, jusqu'à avoir perdu la vingtième partie de son poids initial.

Simon la contemple avec indulgence et consulte gravement Nicolas.

— Regarde ta mère au-dessus de son chaudron. Je me demande si c'est une sorcière ou une fée. Qu'en penses-tu?

La gamin n'a pas une seconde d'hésitation. Il répond avec conviction:

— C'est une sorcière. Elles sont bien plus amusantes que les fées. Elles se promènent sur des balais comme celui de maman. Elles peuvent jeter des sorts.

— S'il s'agit de jeter des sorts, tu as raison. Ta mère est une sorcière.

Avril amène aussi les bourgeons et l'affairement des oiseaux qui construisent leur nid. Jeanne, qui pétrit de la pâte sur la table, écoute les chants joyeux avec nostalgie.

— Eux prévoient un été ensemble, et nous nous préparons pour une nouvelle séparation.

Les mains blanches de la précieuse farine, la cuisinière espère que cette fois-ci, son pain sera moins lourd que celui de sa première recette. Lors de cet échec, devant sa déception et son impatience d'avoir pris tant de peine pour rien, le mari taquin avait déclaré sentencieusement:

— Une porte de four ne fait pas nécessairement le bon pain... et la guérisseuse non plus.

Il s'était esquivé diplomatiquement devant un regard furibond, poursuivi par une remarque vengeresse:

— C'est peut-être ton four qui est défectueux.

Ce matin, Simon coupe du bois en sifflant, et chauffe à blanc le fameux four en attendant la boulangère. Soudain, des appels joviaux, des cris de bienvenue annoncent un visiteur.

— C'est bien le moment, se dit Jeanne en frappant du poing la pâte élastique. Près de l'âtre, deux pains achèvent de lever.

La porte s'abat contre le mur avec bruit et d'une voix joyeuse, Simon proclame:

— Jeanne, voici un invité.

Une haute silhouette s'arrête sur le seuil. Des yeux bleus croisent ceux de Jeanne qui s'immobilise, le souffle coupé. Presque malgré elle, la jeune femme murmure à mi-voix:

— Thierry. Vous êtes Thierry de Villebrand.

Perplexe, l'arrivant la fixe longuement. Il retrouve dans ses souvenirs un visage d'enfant et s'exclame à son tour:

— Mais c'est la petite bécasse de Troyes.

Les deux jeunes gens s'examinent, encore incrédules, et se sourient affectueusement. Une voix railleuse intervient:

— Est-il nécessaire de vous présenter l'un à l'autre?

Jeanne tend sa main droite enfarinée pendant que sa gauche, machinalement, serre la médaille d'or accrochée à son cou.

De Preux, médusé, baise les doigts tendus. Il se tourne vers Simon:

— Tu as épousé ma petite bécasse à la moutarde.

— Dis donc, sois poli, gronde Rouville, les sourcils froncés. L'attitude cavalière de son ami, toujours si courtois, l'offusque et il est prêt à défendre l'honneur de son épouse. Le trappeur avait hâte de faire connaître sa nouvelle épouse à son meilleur ami. Maintenant, il a l'impression que c'est lui l'intrus dans ces retrouvailles étonnantes.

Thierry de Villebrand et Jeanne Chatel, les doigts enlacés, les yeux dans les yeux, se regardent sans parler.

— Vous n'êtes pas le comte de Villebrand? questionne Jeanne déroutée. Et votre château?

— Mon frère aîné a hérité du titre et du domaine. Les fils cadets vont souvent chercher fortune au loin et laissent tomber les noms trop encombrants.

«Que diraient Anne, Geneviève et Marie de cette tournure imprévue de leur roman préféré?» se demande l'orpheline en riant. Prise au piège de sa légende, elle interroge:

— Qu'est devenu le cheval blanc?

— Je l'ai remplacé par un canot d'écorce.

Machinalement, ils se sont assis l'un en face de l'autre, de chaque côté de la table, devant la pâte qui attend.

Thierry, à son tour, pose une question qui laisse Simon complètement ahuri.

— Avez-vous encore de la moutarde dans votre poche?

— Comment sont vos yeux? rétorque Jeanne avec un manque de logique qui stupéfie son mari.

— Je ne peux rien goûter qui contienne de la moutarde. Avez-vous encore un château dans un chêne?

— Ah ça! éclate Rouville, les poings sur les hanches. Je vous écoute. Vous parlez français et pourtant je ne comprends rien à vos discours. Allez-vous m'expliquer votre code ou dois-je retourner couper du bois?

La patience très relative de l'hôte est épuisée, et il en a assez d'être l'étranger dans sa propre demeure.

— Le four, s'écrie Jeanne dont l'esprit pratique reprend le dessus. Ne le laisse pas refroidir. Ces pains sont prêts à enfourner, et je termine le reste.

Elle place la plaque où sont déposées les boules de pâte dans les mains de Simon et le pousse vers l'extérieur. Après un regard irrité à son ami, le sieur de Rouville sort en grommelant:

— Pour ce que je contribue à la conversation, je suis aussi bien dehors.

On entend claquer la porte du four et la hache attaque furieusement les pauvres bûches innocentes.

La jeune femme pétrit sa pâte avec énergie, tout en bavardant avec le visiteur. Des années passées à penser l'un à l'autre les ont rapprochés plus, à leur insu, que les quelques heures où ils se sont vraiment rencontrés.

Le repas du soir rassemble les Rouville autour de la table, et devant la gentillesse exubérante des enfants, la bonne humeur règne de nouveau. En offrant à l'invité une tranche de pain encore chaud, la boulangère remarque: «Je vous rends la croûte que vous m'aviez offerte autrefois.»

On a fait à Simon le récit des rencontres de jeunesse. Rougissante, Jeanne avec sa franchise habituelle raconte le roman fantaisiste qu'elle a brodé. La description, qui s'applique encore, de Thierry, beau comme la statue de saint Michel, fait rougir à son tour le héros trop modeste, et s'esclaffer son ami impitoyable.

Le courage désespéré de l'orpheline qui combattait pour sa liberté a soutenu Thierry dans bien des entreprises. La médaille récupérée et offerte avec tant de délicatesse brille doucement, symbole d'un lien entre eux.

Simon, qui les voit jeunes, animés, plaisantant comme des amis d'enfance, se sent vieux, austère et taciturne. Il est convaincu que si de Preux avait paru à l'église, comme prévu, au matin de leur mariage, Jeanne n'aurait pas dit «Oui». D'ailleurs, n'a-t-elle pas hésité à prononcer la syllabe fatidique, même en l'absence de son beau chevalier?

Le sieur de Rouville cache son désarroi sous des airs préoccupés. Les préparatifs de son départ pour Katarakoui réclament tout son temps, et l'obligent trop souvent à laisser en tête à tête les deux personnages d'un roman d'amour où il n'a rien à voir.

Au troisième matin de l'arrivée de Thierry, la flottille de canots des constructeurs du fort Katarakoui s'arrête devant le domaine de Rouville.

Le Bâtisseur est acclamé et taquiné. Chacun salue familièrement le capitaine de Preux qui est évidemment une figure connue et respectée. Cet intrépide explorateur, compagnon de Cavelier de la Salle, projette de nouvelles expéditions qui l'éloigneront de nouveau pour quelques années.

Il a confié ses ambitions à Jeanne qui a hoché la tête:

— C'est votre manière de retrouver le voilier de votre jeunesse. Vous allez à la poursuite de vos rêves.

— Et vous, Jeanne, vous avez trouvé votre château dans la forêt de Nouvelle-France. Je ne pouvais souhaiter à Simon de compagne plus appropriée. Il a connu plus de peines que de joies dans sa vie, jusqu'à maintenant.

— C'est ce que j'ai cru comprendre, fait la jeune femme rembrunie.

Le pâle fantôme d'Aimée flotte encore entre les deux époux. Et Simon, pour sa part, y ajoute celui, plus substantiel de Thierry sur un cheval blanc.

Cela n'empêche pas le sieur de Rouville et son épouse de s'accrocher l'un à l'autre, comme des noyés cherchant la sécurité, à l'instant du départ.

Le visage de la jeune femme est empreint de mélancolie. Simon, taciturne, est persuadé que le départ du séduisant capitaine laisse Jeanne inconsolable, malgré les adieux joyeux que ces deux-là échangent.

Sous le regard froid des yeux pâles, Jeanne se dit: «Il ne m'a pas encore pardonné de ne pas être son Aimée. Le temps n'arrange rien. Au contraire. Il ne m'aimera jamais.»

Rouville lève son aviron et donne le signal du départ. Le chant des voyageurs flotte encore par bribes longtemps après la disparition du dernier canot.

Tu as le cœur à rire,
Moi je l'ai-t-à-pleurer.
Lui y a longtemps que je t'aime,
Jamais je ne t'oublierai.

— Venez, les enfants, nous allons préparer le terrain pour cultiver un jardin. Nicolas plantera les fèves et Isabelle, le maïs. Il faudra construire une clôture pour empêcher Miraud de piétiner les plantes-bandes.

La vie reprend. À partir du premier instant du départ, l'attente commence pour Jeanne, et elle désire la combler par mille projets.

29

Les premières pousses tendres percent la terre du jardin. Jeanne et les enfants, enduits de graisse d'ours pour se protéger des mouches noires, font la guerre aux mauvaises herbes. Le chat et Zeanne, côte à côte, partagent le ber installé au soleil.

Gansagonas, assise au pied d'un arbre, confectionne pour sa maîtresse une chemise et des jambières comme ceux des coureurs des bois. Simon a rapporté plusieurs peaux de chevreuil, et la guérisseuse a réclamé ce costume pour faciliter ses allées et venues dans la forêt, à pied ou en raquettes.

Il suffit d'avoir souvent couru dix milles, alourdie par une jupe détrempée, pour préférer le confort aux convenances.

Soudain Miraud, l'échine dressée, éclate en aboiements menaçants.

— Il sent des Indiens, annonce Nicolas.

Jeanne saisit son mousquet, appuyé à la clôture du jardin, et elle ordonne aux enfants de courir dans la maison. Déplorant l'absence des chasseurs, Mathurin et Anonkadé, la jeune femme s'apprête à se barricader lorsqu'un appel couvre les cris furieux du chien.

Une longue phrase, prononcée par une voix féminine, rassure Gansagonas qui rassemblait en hâte son ouvrage. La Huronne déclare:

— Algonquins. Venir nous voir.

Ces visites importunes et intéressées amènent parfois des troupes errantes dans la petite clairière. En plus de l'alerte que ces apparitions provoquent chaque fois, Jeanne doit ouvrir l'œil. Ces Indiens nomades, contrairement aux autres, n'ont aucun sens de la propriété, et si on ne les surveille pas, ils feront main basse sur tout ce qui est amovible autour de la maison.

Cependant le grand principe de la colonie doit être honoré. «On ne refuse pas beaucoup, en Nouvelle-France.»

Les Algonquins sont des chrétiens, nouvellement convertis, et souvent affamés ou malades. La charité oblige à les accueillir aimablement.

Cette fois, cinq femmes maigres et vêtues de haillons s'avancent vers la cabane. Gansagonas va à leur rencontre et sert d'interprète.

Jeanne, le cœur serré devant cette misère, entre dans la maison et en rapporte des galettes, des raisins secs et des restes d'anguilles fumées. La rivière fournira tout le poisson frais et la forêt tout le gibier dont la famille aura besoin pour l'été. Si ces pauvres Indiens cessaient d'errer à l'aventure, eux aussi pourraient vivre de la nature.

Fascinés par l'attrait toujours nouveau de visiteurs, les enfants émergent de leur cachette. Nicolas, son fusil de bois sur l'épaule, pose sa main sur la tête de Miraud qu'un grondement continu fait vibrer, comme s'il ron-ronnait.

Isabelle, ses longs cheveux blonds cascadant sur ses épaules, tient Jeanne par la jupe, et suce son pouce, farouchement. Une Algonquine, la bouche pleine, sourit largement et saisit entre ses doigts sales une boucle d'or qu'elle laisse retomber aussitôt.

Avec des grognements qui pourraient être des re-merciements, les femmes squelettiques s'éloignent et s'en-foncent dans la forêt où elles disparaissent avec l'aisance de ceux de leur race. Ce soir, elles retrouveront leur troupe nomade et reprendront demain leur interminable errance.

Deux jours plus tard, Nicolas obtient la permission d'accompagner Mathurin qui tend des collets. Ces deux bons camarades, le boiteux et le gamin, amènent avec eux Miraud dont on fera bientôt un excellent chien de chasse. Anonkadé visite sa tribu pour l'été, Gansagonas, son sac en bandoulière, est en quête d'écorce de frêne dont elle préparera des cataplasmes pour soigner les rhumatismes de la Patte.

Jeanne profite de cette solitude bienfaisante pour es-sayer une expérience qui la tente depuis les premiers beaux jours. Elle veut se baigner et nager dans la rivière. Devant la maison, le courant n'est pas fort, et l'eau pure l'attire irrésistiblement.

Isabelle et la fille du Roy, vêtues de leurs chemises de coton blanc, s'avancent dans l'onde fraîche en pous-sant des petits cris de saisissement. Une grande amitié unit ces deux-là, et pour la petite fille, cette première baignade est une expérience délicieuse. Sa mère adoptive lave les beaux cheveux couleur de miel, et elle installe la fillette sur la berge, chaudement enveloppée dans la cape grise pour que le soleil la réchauffe. Zeanne, serrée dans des bras tendres, dort sagement.

Jeanne s'enfonce à son tour dans l'eau et retrouve les mouvements de natation pratiqués dans l'étang de Troyes. En longues brassées paresseuses, la jeune femme s'éloigne du bord. Elle flotte sur le dos, rinçant ses cheveux dénoués, bercée par le chant des oiseaux et le murmure du courant. Elle admire la pureté du ciel et se sent heureuse, malgré le souvenir d'un fantôme, parce qu'elle est forte, vibrante et passionnée.

La nageuse revient vers la rive et prend pied. La cape est étendue, comme un nuage gris, et Zeanne, abandonnée, gît sur le sable. Isabelle a disparu.

D'abord intriguée, puis mécontente, sa mère l'appelle et la cherche, de plus en plus frénétiquement. Au bout d'une heure d'efforts, Jeanne tire les trois coups de fusil, appel de détresse, qui ramène en hâte Gansagonas et les chasseurs.

Miraud gronde en rôdant autour de la cape. Mathurin conclut après avoir examiné les environs:

— Ce sont des Indiens qui ont enlevé la petite.

Nicolas éclate en sanglots. Ni le vieux chasseur, ni la Huronne ne peuvent retrouver de traces précises. Jeanne constate avec découragement:

— Ce doit être les Algonquines que nous avons nourries. Une des femmes a admiré Isabelle. Où les retrouver maintenant?

Gansagonas, toujours sans émotion, malgré la

disparition de l'enfant qu'elle adore, déclare dans sa langue que Jeanne comprend bien maintenant:

— Anonkadé m'a dit qu'un groupe de nomades campait chaque été à l'est, près du Saut aux Brochets. Peut-être ces femmes en faisaient-elles partie? Je peux aller parlementer.

Passant aussitôt à l'action, Jeanne décide:

— Je vais avec toi, Gansagonas. La Patte et Nicolas attendront ici.

Malheureusement, Mathurin ne peut plus entreprendre de longues expéditions, sinon, il serait déjà en route.

La Huronne élève la main.

— Mon frère m'a aussi dit que ces gens détestent les Visages pâles à la suite d'une querelle au sujet de territoires de chasse. Tu prendrais un grand risque en les visitant.

— Si je ne les visitais pas, Gansagonas, je ne pourrais plus jamais dormir en paix.

Cet argument suffit à convaincre l'Indienne. Aussitôt, les deux femmes font leurs préparatifs de départ et bientôt, elle s'enfoncent dans la forêt. Jeanne porte son mousquet, plus par habitude que par conviction. Que peut un seul fusil contre une tribu hostile? Elle connaît les traités de paix signés par les Algonquins avec les Blancs. Jusqu'à quel point une bande nomade, visiblement hors la loi, est-elle astreinte aux engagements de ses grands chefs? Il peuvent très bien faire disparaître l'intruse, et s'effacer à leur tour dans les profondeurs de la forêt.

Quelquefois aussi, des renégats n'ont pas hésité à faire prisonniers des alliés sans méfiance, pour ensuite les échanger avec les Iroquois contre des provisions ou des armes. Aucune de ces considérations ne ralentit les pas de la jeune mère déterminée. S'il y a une chance sur mille de retrouver Isabelle, il faut tout tenter.

Le surlendemain, après quelques heures de repos pris pendant la nuit noire, les deux femmes arrivent en haut d'une colline d'où elles dominent un village aux tentes d'écorce visiblement temporaires.

Malgré sa connaissance des bois, la Huronne a perdu beaucoup de temps à s'orienter, car les Algonquins ont changé leur lieu de campement.

Aucune sentinelle ne donne l'alerte. Le camp est-il mal gardé ou les visiteuses attendues et déjà annoncées?

Gansagonas étudie longuement les allées et venues des Indiens. On n'aperçoit pas une des cinq femmes qui ont visité les Rouville. Aucune petite fille blonde n'est visible non plus. Soudain, une Indienne émerge d'un abri. La Huronne la pointe du doigt.

— Celle-là est venue.

C'est toute la preuve qu'il faut à Jeanne.

Devant la plus grande des tentes, un chef au nez d'aigle est assis, entouré de quatre de ses hommes. En marchant, la jeune femme a froidement discuté avec son guide la meilleure manière de procéder. Son plan d'action est déterminé. Gansagonas se retire en silence et disparaît entre les arbres.

Jeanne appuie son mousquet inutile contre un arbre, et plonge sa main dans sa gibecière. Elle en retire le châle espagnol, son plus splendide ornement, et en entoure ses épaules, par-dessus la robe grise cent fois rapiécée. D'un geste résolu, Jeanne dénoue sa longue chevelure et la répand sur son dos, comme une provocation. Puis d'un pas ferme, elle descend la colline, entonnant d'une voix forte et pure la mélodie préférée de Simon:

À la claire fontaine
M'en allant promener...

La chanteuse passe entre les tentes rustiques et mal construites, où l'odeur offensante typique d'un camp malpropre assaille ses narines.

Dans le silence vibrant de soleil, seul son chant résonne, comme un défi. Est-ce un appel étouffé qu'elle a entendu, venant d'un abri sordide?

La tête haute, Jeanne de Rouville s'arrête devant le chef, croise ses bras sur sa poitrine, et attend calmement, en silence.

Les yeux perçants, au regard impénétrable, la dévisagent froidement. D'un signe imperceptible de la tête, l'Algonquin lui accorde la parole.

Jeanne lève la main, comme elle l'a vu faire à Simon, lorsqu'il entame un dialogue avec les Indiens. En même temps, une prière rapide traverse son esprit. «Grand-père, mère Berthelet, Jocelyn, demandez à Dieu de m'inspirer.»

En français, la jeune femme interroge d'abord:

— Le grand chef des Algonquins parle-t-il ma langue?

Un grognement qui peut être interprété de mille façons lui répond. L'effrontée choisi de croire qu'il est un assentiment. Elle continue:

— Une femme de ta tribu n'avait pas de fille. Une femme de ta tribu a choisi la mienne et l'a arrachée à mes bras. Depuis ce moment, cette femme est heureuse, mais ma fille et moi avons senti nos cœurs se briser. Peux-tu permettre, dans ta sagesse, qu'une branche soit arrachée à l'arbre, et que les deux meurent par cet acte? J'avais fait mon nid au bord de la rivière. J'y nourrissais mes oisillons. L'un d'entre eux m'a été enlevé, et le soleil ne brille plus pour moi.

Les paroles coulent abondantes et fleuries des lèvres de l'oratrice. Elle-même se surprend de son éloquence. La mine impassible de ses interlocuteurs la remplit de doutes. Peut-être ne comprennent-ils pas un mot de ce qu'elle dit? Toute cette rhétorique coule probablement en pure perte. Tant pis. Le ton ferme, les gestes imagés tiennent les auditeurs en haleine.

Le Rouquin lui a déjà raconté qu'un beau discours peut retenir l'attention des Indiens pendant des heures et même des jours. Si c'est la loquacité qui doit sauver Isabelle, rien n'arrêtera le flot des paroles de sa mère.

Un des guerriers tend le cou, bouche ouverte, semblant attendre la suite avec intérêt. Encouragée, la conteuse d'histoires puise dans son répertoire toutes les légendes, toutes les situations où des parents retrouvent avec joie leurs rejetons perdus. Aucune analogie avec la nature n'échappe à la narratrice.

«Les sentiments filiaux, la fille de mon sang, le secours de mon vieil âge, l'étoile de mes nuits, le feu qui me réchauffe», tout y passe. Avec une partie de son cerveau, l'irrépressible Jeanne croit voir au ciel de rapides consultations entre ses trois protecteurs qui se relaient pour lui fournir des idées. Elle intercale des chansons, des dictons, des bribes de poésies.

Le soleil se couche, la fraîcheur du soir fait frissonner la visiteuse dont les lèvres sont sèches et la gorge serrée. On allume des feux, mais elle n'ose se retourner pour examiner le campement. Ses yeux ne quittent pas ceux des chefs algonquins. Vaguement, elle a senti un cercle de spectateurs se former autour d'elle. Pendant cinq heures, sa voix n'a pas flanché, et ses jambes tremblantes la soutiennent par miracle pendant qu'elle récite un poème appris à l'orphelinat et qui remonte du fond de son inconscient:

Il n'est de plus doux, de plus doux qu'une mère,
Si ce n'est, si ce n'est son enfant.

Jeanne se tait, brusquement, incapable de dire un mot de plus. Avec son flair du dramatique, elle enlève de ses épaules le châle coloré et étendant le bras, elle le laisse tomber aux pieds du chef où il forme un amas chatoyant, comme une offrande de lumière.

Vêtue de gris, tête nue, mains ouvertes devant elle, la jeune femme attend. Elle a donné tout ce qu'elle avait de courage et d'amour. Il ne lui reste plus rien.

Un long silence plane sur l'assemblée. Il faut connaître l'âme des Indiens pour comprendre l'effet extraordinaire produit par le spectacle auquel ils viennent d'assister. Même ceux qui ne comprennent pas le français ont suivi le drame avec fascination.

Le chef lève la main et donne un ordre. Il regarde par-dessus l'épaule de Jeanne qui se retourne lentement. Le cercle des Algonquins s'ouvre pour laisser passer une femme maigre qui conduit Isabelle par la main.

La mère et la fille se tendent les bras sans parler, et se serrent dans un enlacement que seule la mort de l'une ou l'autre pourra rompre.

La voleuse d'enfant s'est immobilisée, et sur un signe du chef, elle a ramassé d'une main cupide le beau châle destiné à une fiancée inconnue. Jocelyn, de là-haut, ne peut pas en vouloir à sa bienfaitrice.

Instinctivement, Jeanne sent qu'elle doit clore la scène d'une manière frappante. S'excusant mentalement de son pieux mensonge, elle étend un doigt impérieux vers l'Indienne enveloppée dans le châle rouge et vert.

— Il te rendra fertile et tu auras encore des filles et des fils, annonce l'insolente d'un ton prophétique. Un murmure approbateur parcourt l'assemblée.

Serrant l'enfant tremblante sur son cœur, la petite dame Rouville traverse le village sans regarder à droite ni à gauche, et elle entonne d'un ton joyeux sa chanson de guerre:

Sur la plus haute branche
Le rossignol chantait...

À une pression de ses bras, Isabelle joint sa petite voix frêle et fausse à celle de sa mère. Tout le village silencieux les regarde gravir lentement la colline, et bientôt, les accents de la chanson de France s'estompent dans la nuit.

Personne ne les suit. Gansagonas surgit comme une ombre entre les ombres. Elle porte le mousquet et la gibecière et les précède dans la forêt sombre.

Jeanne avance comme une somnanbule, étouffant la petite fille dans une étreinte digne de Simon. Des larmes de nervosité et de fatigue roulent sur les joues de la jeune femme. Isabelle demande timidement:

— Pourquoi tu pleures, maman? T'es pas contente de me revoir?

Avec ferveur, la mère embrasse la tête blonde. Elle rit doucement et explique:

— Je pleure de joie, ma chouette. Plus tard, tu sauras que c'est le plus grand signe de bonheur.

30

Un sifflement familier perce le silence. Jeanne laisse tomber le panier de fèves qu'elle ramassait et s'élance vers la rivière. Son cœur bat et comme autrefois, elle le presse à deux mains.

Un canot s'avance, et un bras amical agite un aviron. Une voix de stentor ébranle les échos.

— Hé! Rouville, j'ai des nouvelles.

D'une manœuvre habile, le voyageur arrête son embarcation près de la berge. Il a une magnifique barbe rousse, et Jeanne reconnaît le trappeur Charron, son ancien professeur d'aviron.

— Bonjour, monsieur. Mon mari n'est pas ici. Il a passé l'été à Katarakoui. Mais vous êtes le bienvenu.

— Salut, ma petite dame. Rouville n'est pas là? C'est bien embêtant. Il risque d'avoir ce qu'il appellerait des «malentendus» s'il ne va pas à Ville-Marie au plus tôt.

Pendant que son hôtesse lui sert un repas de viande froide et de tarte aux framboises, Charron explique la situation.

Frontenac vient de lancer un édit obligeant tous les trappeurs à obtenir des permis pour la traite des fourrures. Le gouverneur craint la contrebande et les échanges illégaux. Il cherche à protéger ses intérêts et ceux de la France, sinon ceux des colons.

— Perrot, le gouverneur de Montréal, doit envoyer la liste des demandes à Québec d'ici la fin du mois. Si Rouville ne signe pas, il perdra tous ses droits. Et comme Perrot et lui ont eu souvent des... «malentendus» au sujet des petits commerces frauduleux du gouverneur avec les Indiens... eh bien! celui-ci va voir une bonne occasion d'exercer sa rancune.

Jeanne est atterrée. Elle sait que malgré ses résolutions de cultiver la terre, Simon est avant tout un homme des bois. Et d'ailleurs, après son absence forcée de l'été, seul un autre hiver à recueillir des fourrures pourra lui permettre d'amasser quelque argent.

Pendant une heure, elle questionne son visiteur loquace. Le ventre plein, flatté de cette attention à ses moindres paroles, le bonhomme fournit à son interlocutrice tous les renseignements qu'il lui faut.

Il repart avec l'Indien qui l'accompagne, vers la fin de l'après-midi. Il a raconté qu'il avironnerait jusqu'au lac Champlain et repasserait chez les Rouville lors de son retour dans six jours.

— Je dois remonter jusqu'à Ville-Marie avec un groupe de gars qui iront demander des permis. Je fais la tournée pour les avertir, car cette décision a été subite et le gouverneur va en prendre beaucoup par surprise.

François-Marie Perrot, peu aimé des coureurs des

bois, à cause de son arrogance et de sa malhonnêteté, va profiter de cet édit pour exercer quelques vengeances.

— Ne manquez pas d'arrêter pour un repas à votre retour, le presse la dame de Rouville, une petite femme bien avenante. «Sacré chanceux de Simon», marmonne le trappeur en la saluant.

Six jours plus tard, fidèle au rendez-vous, Charron avironne vigoureusement jusqu'à la rive. Sans façon, il a convié ses amis à partager l'invitation, sept canots contenant dix chasseurs et quatre Hurons, s'avancent à l'assaut de la petite plage.

La cheminée ne fume pas. La précieuse fenêtre est barricadée et la porte fermée. Aussitôt alertés, les voyageurs empoignent leur fusil.

Une voix claire les hèle de la forêt, et un garçon surgit, son mousquet à la main, un sac sur l'épaule.

— Hé! Charron. Les Rouville sont partis visiter les Bibeau qui marient leur fille. Ma sœur m'a demandé de l'excuser.

— Ta sœur? interroge Charron en toisant le garçon mince, habillé comme lui d'un costume à frange et dont les courts cheveux bruns émergent d'un immense bonnet de fourrure. Les yeux gris soutiennent sans timidité l'examen du trappeur.

— C'est vrai que tu lui ressembles... en moins joli.

Vivement, le jeune homme continue:

— Je suis Jean Chatel. Et je voudrais bien descendre à Ville-Marie avec vous.

Curieux, les voyageurs se sont approchés. Quelques-uns, philosophes, puisent dans leurs poches et en tirent du pemmican, puisque l'invitation à dîner ne tient plus.

Charron crache, gratte sa barbe rousse et interroge:

— Qu'est-ce que tu veux faire, à Ville-Marie?

— Ben, signer un contrat de traite, riposte la voix insolente.

Un éclat de rire général accueille cette déclaration. Les quolibets fusent:

— Si les bébés s'y mettent, on va manquer de gibier.

— Il faut de la barbe pour avoir un permis. C'est dans les règlements de Frontenac.

— Quel âge as-tu, petit? demande Charron, devant l'air déçu du jeune Chatel.

Celui-ci se redresse:

— Treize ans, bientôt quatorze. Je peux avironner et tendre des collets. Je ne vous dérangerai pas.

— Bon, alors embarque. Et pour prouver ton utilité, c'est toi qui vas te mouiller les mocassins pour pousser les canots à l'eau.

Dans les rires et les plaisanteries rudes, le pauvre Jean, suant et rouge, s'arc-boute de toutes ses forces pour pousser une à une les embarcations d'écorce à l'eau. Le sable doux à cet endroit de la rivière ne faisait pas craindre de défoncer les quilles et permettait de s'échouer sans danger.

Assis au centre du canot propulsé par les avirons de Charron et d'un Huron, le garçon, trempé jusqu'aux cuisses, reprenait son souffle et regardait la maison des Rouville disparaître au tournant de la rivière.

«Si Simon me voyait», pensait Jeanne en enlevant le bonnet de fourrure emprunté à Nicolas, que chacun porte, malgré la chaleur, presque comme un symbole de sa profession. Elle secoue ses cheveux courts et sent sur sa nuque découverte la morsure du soleil et celle des maringouins.

Après tout, il était peut-être préférable que son époux ne la vît pas et conservât quelques illusions sur la féminité de la fille du Roy dont il avait hérité.

Pour la première fois de sa vie, Jeanne se sentait en vacances. Les enfants étaient en sûreté chez les Bibeau avec la Patte et Gansagonas. Elle avait raconté à tout le monde qu'il lui fallait manquer la noce pour aider dans un accouchement. Revenue seule à la maison, elle avait procédé à sa transformation. Les beaux cheveux bruns, sacrifiés à une bonne cause, étaient cachés dans le coffre du trousseau.

L'habit confectionné par Gansagonas était très confortable. Le bandage serré qui comprimait le buste trop arrogant l'était beaucoup moins. En enlevant sa ceinture qu'elle portait bas sur les hanches, la jeune femme aurait moins besoin de se torturer de cette manière, car la chemise ample flotterait.

«Je serai courbée à jamais, rendue à Ville-Marie, si je dois me tenir pendant des jours les épaules voutées, même en avironnant.»

En attendant, la rivière scintillait comme une route de diamants, et les échos résonnaient de la chanson joyeuse.

À la claire fontaine,
M'en allant promener...

Soudain la passagère se sentit rougir jusqu'aux oreilles. Le couplet qu'entonnaient bruyamment les rameurs était beaucoup plus leste et grivois que les versions entendues jusqu'alors.

Jeanne riait sous cape. Ce n'était que le premier des problèmes que présenterait son escapade. Charron aurait certainement consenti à amener madame de Rouville, mais les autres coureurs des bois, misogynes pour la plupart, auraient été bien embarrassés d'une présence féminine. Pourtant, avec la Patte et le Rouquin, la jeune femme s'était sentie acceptée. Tout à coup, la vérité lui apparut.

Une épouse accompagnée de son mari, ce n'était pas une vraie personne, mais seulement un pâle reflet, un être sans substance qui n'existait que parce que quelqu'un lui avait donné son nom. Pour ces hommes rudes, une femme, ailleurs que dans sa maison, c'était un encombrement, un risque inutile, une responsabilité inévitable.

Les yeux pleins de feux, la petite dame Rouville jura à l'instant que plus jamais elle ne se contenterait de ce rôle effacé. Tant pis pour Simon et ses illusions astreignantes, au diable la timide épouse soumise et doucement transparente. Jeanne Chatel serait reconnue pour ce qu'elle était, ou renvoyée au Roy avec armes et bagages.

En attendant, le garçon audacieux, Jean Chatel, qui accompagnait les coureurs des bois constata vite que dans cette société rustique, la force seule imposait des lois.

— Jean, va chercher du bois.

— Petit, apporte de l'eau.

— Eh! Petit. Encore de l'eau, espèce de fainéant.

Sollicité de tous côtés, Petit, fourbu et furieux, devenait le domestique de chacun. On lui faisait payer chèrement la faveur de voyager avec des hommes. C'était toute l'histoire du Rouquin trop soumis qui recommençait.

Bien décidée à ne pas justifier la méfiance de ces durs à l'égard des faibles femmes, Jeanne s'affairait à chaque halte. Quelques corvées lui furent épagnées grâce à des ruses suggérées par son indignation.

Le premier soir, après l'avoir obligée à en rassembler les matériaux, on la chargea de faire le feu. Peu habituée à ce genre d'exercice, elle enfuma tout le camp en brûlant volontairement des branches vertes. On la dispensa donc de cette responsabilité. Charron lui donna un vieux couteau de chasse et lui remit des perdrix à vider et à plumer. Puis il la chargea de surveiller la marmite où mijotait le gibier qu'elle avait apprêté. Pendant ce temps, les paresseux se prélassaient en lui criant des instructions.

«Ils me prennent pour une "squaw"», pensait-elle avec dépit.

Elle laissa donc brûler le souper et en fut quitte pour manger du pemmican et nettoyer pendant une heure le désastre carbonisé au fond du chaudron. On ne lui confia plus jamais cette charge.

Le soir, sous prétexte qu'elle avait besoin de beaucoup de sommeil, elle se glissait sous le canot de Charron et s'endormait, enroulée dans une vieille couverture abandonnée par Simon. Elle évitait ainsi les plaisanteries grossières des feux de camp dont le Petit faisait les frais.

Curieuse malgré tout, elle prêtait l'oreille aux récits des coureurs des bois. Elle apprit que ces hommes rudes respectaient Simon pour son expérience, son autorité et sa grande bravoure. Elle sut aussi, comme son intuition le lui avait soufflé, qu'il était très populaire auprès des filles de Chefs, mais qu'il avait toujours refusé de se choisir une épouse dans les tribus, comme beaucoup d'autres l'avaient fait.

Charron, indiscret et fureteur, avait deviné que la première femme du sieur de Rouville avait été plus une épreuve qu'une consolation, toujours craintive, larmoyante et insatisfaite.

— La nouvelle, par exemple, c'est une maîtresse-femme. Elle manie la poêle à frire et l'aviron comme pas une.

Pendant que l'héroïne, les joues en feu, se cachait sous sa couverture, chacun riait bruyamment de l'aventure des Quatre-Ruisseaux.

Un Huron, habituellement silencieux, réclama la parole et raconta longuement le sauvetage d'Isabelle qu'il tenait d'un ami algonquin.

— Du midi au coucher du soleil, les paroles de cette femme blanche ont coulé comme du miel aux oreilles des Algonquins.

L'audace et le courage de la jeune mère furent beaucoup appréciés. Un farceur ne put s'empêcher de jeter son grain de sel:

—Moi, une femme qui peut discourir pendant cinq heures de temps, ça me ferait un peu peur.

— Rouville n'aura pas toujours le dernier mot, conclut Charron en crachant dans le feu.

Un sourire sur les lèvres, Jean Chatel s'endormit sous son canot, sans se préoccuper de la pluie fine qui se mettait à tomber.

Au fort Chambly, Hubert de Bretonville vint au débarcadère rencontrer les voyageurs. Le benjamin du groupe, la tête tournée vers la rivière, évitait soigneusement d'attirer l'attention. Charron et les deux autres acceptèrent l'invitation à dîner du capitaine.

Jeanne se glissa chez son vieil ami le bonhomme Hippolyte. Elle avait plusieurs questions précises à poser au guérisseur et voulait lui raconter le succès de sa cure contre le faux croup. Elle se présenta comme Jean Chatel, frère de madame de Rouville, mais devant le scepticisme qu'elle lut dans les yeux clairvoyants, elle avoua sa supercherie. Elle coucha au sec, au coin du feu, sur une paillasse offerte par son hôte et repartit le lendemain, avec de nouvelles réserves de médicaments et de conseils.

À Ville-Marie, le rusé garçon joua son rôle avec aplomb. Il répondit correctement aux questions de l'agent concernant la qualité des pelleteries, les genres de pièges, la démarcation du territoire de chasse, grâce à des souvenirs de jeunesse, aux leçons du professeur La Patte et aux renseignements arrachés à Charron et aux trappeurs sans méfiance. Ayant ainsi prouvé sa compétence malgré son jeune âge, dans ce pays où les enfants sont déjà des hommes, le garçon obtint des permis de traite faits au nom de son «beau-frère» Simon de Rouville et au sien. D'un main ferme, la jeune femme signa J. Chatel, et déposa la garantie exigée. Elle entrevit dans une porte le gouverneur Perrot qui surveillait les transactions et réprima une forte envie de lui tirer triomphalement la langue.

Finalement, son contrat en sûreté dans sa poche, elle erra en curieuse dans les rues de la ville, ayant décliné l'aimable invitation de ses compagnons de voyage de les accompagner à l'auberge pour célébrer.

Elle ne poussa pas l'audace jusqu'à visiter Sœur

Bourgeoys. Sa tenue masculine et ses cheveux courts pouvaient susciter des commentaires dont le sieur de Rouville serait la première victime. Il suffisait de peu de chose pour provoquer un scandale dans la colonie puritaine.

Le soir venu, un jeune garçon timide et poli demande l'hospitalité à l'Hôtel-Dieu. La supérieure de l'hôpital le fit coucher dans un coin de la cuisine après lui avoir fait rentrer beaucoup de bois, car cette personne pratique croyait fermement qu'un service en attire un autre.

Jeanne avait espéré rencontrer Mademoiselle Mance, l'amie fidèle dont Sœur Bourgeoys avait vanté les mérites et la fondatrice de ce premier hôpital de Ville-Marie. Malheureusement, cette sainte femme venait de mourir le mois précédent, au grand regret de toute la colonie qui la vénérait. La jeune dame de Rouville s'étonna de voir combien des célibataires comme Marguerite Bourgeoys et Jeanne Mance réussissaient à s'imposer à tous par leur valeur personnelle, alors que les femmes mariées semblaient éternellement destinées à vivre dans l'ombre de leurs dignes époux. Elle aurait aimé avoir l'opinion de Simon là-dessus. Comment prendrait-il ce nouvel esprit d'émancipation de sa jeune épouse?

Il faudrait qu'il s'y fasse, décida Jeanne résolument, car à partir de maintenant, elle ne jouerait plus de rôle. Un fou rire s'empara de la jeune femme quand elle constata qu'elle prenait ces belles résolutions à l'instant même où, déguisée en garçon, elle dormait devant l'âtre de l'hôpital, sous le nom de Jean Chatel.

Le lendemain matin, la plupart des trappeurs repartaient pour leurs territoires de chasse favoris.

Charron avait perdu le Huron qui continuait jusqu'à Québec, et demanda à son jeune protégé d'avironner à sa place à l'avant du canot.

Pendant deux heures, la jeune femme maintint le rythme épuisant, puis elle dut s'avouer vaincue. Ils étaient seuls dans leur embarcation, loin derrière les autres, à cause de la faiblesse du second rameur. Charron cracha dans l'eau, s'éclaircit la voix et grogna:

— Couchez-vous au fond du bateau, ma petite madame. Je vais vous mener chez vous sans fatigue. Vous le méritez bien.

— Comment, vous saviez? s'étonna Jeanne.

— J'ai reconnu le coup d'aviron que je vous avais enseigné. Vous nous avez bien eus, les gars et moi. On s'est douté de rien.

Soudain confus et rougissant, le trappeur se rappela certaines histoires et plusieurs chansons très embarrassantes. Jeanne le rassura en riant. Elle n'était pas une dame précieuse, mais une solide fille du Roy. Rien ne l'avait choquée, tout l'avait intéressée. L'esprit de camaraderie surtout l'avait touchée.

— Je vais beaucoup mieux comprendre mon mari à présent, quand il me parlera de ses voyages.

— Ce Rouville, admira le bonhomme. Il a une femme «dépareillée». Ça c'est bien lui.

Jeanne, en appuyant ses épaules douloureuses sur son sac au fond du canot ne put s'empêcher de remarquer l'attitude typiquement masculine du trappeur. Il réussissait encore à donner à un confrère tout le mérite de s'être trouvé une femme extraordinaire.

Machinalement, la jeune femme porta la main à son

cou, mais sa médaille d'or n'y était plus. Elle l'avait remise à l'agent de Perrot en garantie pour le permis de traite. Grand-père, comme Jocelyn, comprendrait son sacrifice.

Le cœur léger, l'âme en paix, Jeanne de Rouville reprenait le chemin du domaine de son seigneur.

Le soir, aux campements, le pauvre Charron, obligé de jouer lui aussi la comédie, passait par toutes les émotions. Indigné par les abus de ses camarades qui faisaient travailler le Petit, il oubliait ses propres exigences encore récentes. Il changeait les sujets de conversations par des interventions bruyantes et maladroites, lorsqu'on abordait des domaines trop osés. Et il couvrait par des sifflements assourdissants les paroles des chansons que Jeanne connaissait maintenant par cœur.

Ses amis exaspérés le rabrouaient vertement, et sa passagère très amusée le rassurait de son mieux.

Quelques mois plus tard, la voyageuse apprit que Charron n'avait d'abord pas eu l'intention d'aller plus loin que Sorel où il avait un contrat de chasse pour le fort.

Prétextant un rendez-vous urgent à la source de la rivière, il avait continué le voyage jusqu'à ce que son jeune compagnon Jean Chatel se retrouve au domaine des Rouville, avant de revenir sur ses pas. Maintenant qu'il connaissait le secret de Jeanne, il ne se serait pas pardonné de ne pas l'avoir conduite en sûreté.

De loin, caché dans les arbres, il avait vu le garçon entrer dans la cabane déserte, et une heure plus tard, la petite madame Rouville en sortir, sagement vêtue de gris, son fichu noir entourant ses cheveux courts.

De son long pas de chasseur, Jeanne s'était dirigée

vers la maison des Bibeau, à douze milles de chez elle. Son inexpérience dans la forêt l'avait empêchée de soupçonner, à cent pas derrière elle, l'existence d'un protecteur dévoué et discret. Charron ne respira que lorsque la jeune mère serra ses enfants dans ses bras et se prépara à les ramener sous la garde de la Patte.

Celui-ci, méfiant, scruta la forêt longuement, les sourcils froncés. Son instinct l'avertissait d'une présence insolite. Lorsqu'il s'avança pour enquêter, le trappeur était déjà loin, courant jusqu'à son canot et se hâtant vers Sorel pour remplir ses obligations et nourrir la garnison en gibier pour les prochains mois.

31

Les épis de blé d'Inde, bientôt prêts pour la cueillette, se balancent au vent d'été. Comme chaque après-midi où elle peut s'échapper, Jeanne s'est réfugiée au sommet du vieux chêne et scrute la rivière. Un jour, elle apercevra un canot et à l'avant, une silhouette familière. Le Bâtisseur reviendra chez lui et la vie reprendra.

Une vibration dans l'arbre tire la rêveuse de sa méditation. De légers craquements lui signalent l'approche d'un grimpeur silencieux et agile comme un chat.

Est-ce un Iroquois? Le mousquet, accroché plus bas, à la grande fourche est inaccessible. Jeanne prend son couteau dans sa main et attend, tremblante dans son nid de verdure bruissante.

Les feuilles frémissent et s'écartent. Une main brune se referme sur sa cheville, au-dessus du mocassin. Vêtue de la tenue favorite de Jean Chatel, la jeune femme est à cheval sur une branche solide, bien appuyée au tronc. Elle lève son arme, prête à vendre chèrement sa vie.

Une tête noire surgit à ses pieds. Une figure étonnée se tourne vers elle, et des yeux pâles la regardent, incrédules.

— Simon, souffle la jeune femme dont les nerfs tendus se relâchent avec soulagement. Plus fort, elle répète: Simon. Et finalement, toute sa joie perce dans son cri de triomphe: Simon!

— Les filles du Roy poussent dans les arbres, maintenant? demande le Bâtisseur d'un voix enrouée.

D'un mouvement souple, le grimpeur se hisse en face d'elle, à califourchon sur la même branche. D'une main, il s'appuie au tronc, par-dessus son épaule, et de l'autre, il caresse les cheveux courts et frisés.

Sa voix narquoise s'accorde mal avec la tendresse du regard vert qui la dévisage.

— Vous êtes bien mon beau-frère, Jean Chatel?

— Oh! Simon. Tu es revenu. Si tu savais...

Des lèvres impérieuses lui coupent la parole. Tous les oiseaux de la forêt chantent aux oreilles de Jeanne. Si les doigts trop forts qui serrent les boucles brunes ne l'avaient retenue, la jeune femme est certaine qu'elle se serait envolée. Il est plus probable qu'elle aurait dégringolé au bas de son perchoir.

Simon se recule de quelques pouces et regarde de nouveau, comme pour en redécouvrir chaque trait, le visage heureux et bronzé de sa jeune épouse. Alors seulement, la question logique monte à ses lèvres:

— Qu'est-ce que tu fais ici?

— Je t'attends. Je vais te voir arriver sur la rivière, là-bas, un de ces jours.

— Il ne faut jamais se fier à un mari. J'ai pris un raccourci par les bois pour être ici plus vite.

— Si tu courais si vite, pourquoi es-tu grimpé dans l'arbre?

— Parce que je le fais chaque fois que je passe dessous. Je te l'ai déjà dit. C'est mon poste d'observation.

— Tu as construit ton fort?

— Oui. Mais au dernier moment, j'en ai fait cadeau à Frontenac et je suis revenu. Je l'ai bien averti de ne plus faire de projets où je figurerais.

Un nouveau baiser interrompt la conversation. Lorsque Simon relève la tête, son épouse est secouée d'un fou rire. Aussitôt hérissé, le seigneur fronce les sourcils. Jeanne appuie ses deux mains sur la poitrine de son mari et demande:

— Combien penses-tu que le Roy a de filles qui se font embrasser dans le haut d'un chêne?

— Il n'en a qu'une et c'est déjà une de trop. Tu vas te casser la figure en redescendant. Je vais t'aider.

Déjà, le ton autoritaire indique le retour du maître. Glissant entre les mains de son mari, Jeanne passe sa jambe par-dessus la branche, encercle le tronc du chêne et entreprend une descente rapide et experte.

À la grosse fourche, elle récupère son mousquet pendant que Simon, dépité, la dépasse en trombe. Il saute sur le sol et lui tend les bras. Il a la conviction tenace qu'elle ne peut rien faire sans son aide... quand il est là.

Docilement, elle se laisse tomber dans l'étreinte réconfortante. Le seigneur oublie pendant très longtemps de la déposer sur le sol. Lorsqu'il s'y décide enfin, il s'installe par terre à côté de son sac, et l'entraîne à sa suite.

Assis l'un près de l'autre, sa tête bouclée appuyée sur la poitrine où bat le cœur qu'elle aime, Jeanne se dit qu'elle a trouvé le bonheur. Longtemps, ils demeurent ainsi. Simon fouille tout à coup dans la poche de sa chemise et balance au bout de ses longs doigts une chaîne d'or où brille une médaille.

— Ton frère a oublié cela à Ville-Marie. Je l'ai repris pour toi.

— Comme Thierry autrefois.

Jeanne se mordait la langue. Sa remarque a été spontanée, involontaire comme l'a été le cri de Simon quand il l'a appelée Aimée. Elle attend, glacée d'appréhension.

Mais Rouville rit joyeusement en la serrant contre lui.

— Ce sacré capitaine, «beau comme saint Michel», t'envoie son affection. Il semble que pour lui, tu sois une sorte de Jeanne d'Arc. Il t'a juchée sur un piédestal. Ça ne te va pas du tout. Ta place est ici, par terre, à côté d'un humble mortel.

Il l'embrasse encore, et ordonne en étendant ses longues jambes devant lui:

— Raconte-moi ton été. Maintenant que nous voilà partenaires dans la traite des fourrures, nous ne devons rien nous cacher.

— Tu sais déjà tout ça?

— Je suis passé par Ville-Marie, croyant avoir perdu mes dernières chances. J'ai appris avec joie que mon petit beau-frère avait tout arrangé.

Simon n'est pas l'homme aux grandes démonstrations. Une pression énergique du bras qui entoure Jeanne remplace tous les discours de remerciements et suffit amplement à son épouse.

Le Bâtisseur continue:

— N'oublie pas ton épopée chez les Algonquins. Ne me cache rien, car je sais tout.

— Ah! ça, m'as-tu fait surveiller?

— Tu apprendras, ma petite dame Rouville, que notre grand pays sauvage bourdonne de potins autant que les salons de ton vénéré père Louis XIV.

— Qui t'a dit tous mes secrets?

— Un autre de tes admirateurs passionnés. Charron m'attendait à Sorel pour me chanter tes louanges.

Avec satisfaction, le seigneur ajoute:

— Il me trouve bien adroit d'avoir déniché une femme comme toi. Je le suis, en effet.

Jeanne a un reniflement dédaigneux. La prétention des hommes est-elle sans limite? Piquée, elle objecte:

— Si tu connais tout, pourquoi me faire parler?

— Parce que tu me plais. Ce qui m'intéresse au plus haut point, c'est ta version personnelle de tes petites escapades.

Paresseusement, la jeune femme ferme les yeux, sentant vibrer dans son dos la voix dont chaque accent mordant la remplit d'aise. Elle éprouve une grande détente, et serait bien surprise d'apprendre qu'elle tombe d'elle-même dans le piège qu'elle voulait éviter, celui de la dépendance béate.

Sans pitié, Simon la secoue.

— Allons, parle. Si tu bavardes pendant cinq heures pour un Algonquin, tu peux certainement en faire autant pour ton mari.

La modeste héroïne raconte pendant longtemps sa solitude et ses aventures. Le récit menace de s'éterniser, car il est très souvent interrompu.

Nicolas et Isabelle, prédédant Gasangonas, venaient

à la rencontre de Jeanne quand ils découvrent leurs parents enlacés au pied du chêne, riant et bavardant.

— Papa, crie Isabelle, avec enthousiasme.

Nicolas, plus clairvoyant, les fixe de ses yeux si pareils à ceux de son père.

— Vous êtes contents de vous revoir?

En mal de confidence, il ajoute:

— Tu sais, papa, maman a emprunté mon bonnet de fourrure. Et elle a rangé ses cheveux dans son coffre.

32

Une semaine après l'arrivée de Simon, Jeanne cueille les dernières framboises dans une petite clairière. Nicolas et Isabelle l'aident, mangeant deux fruits pour chacun déposé dans la chaudière.

Miraud lève le nez, gronde sourdement et son poil se hérisse. D'une main ferme, Jeanne entoure le museau et fait taire la bête. Seuls, des Indiens provoquent cette réaction.

La jeune femme les sent partout, soudain. Elle pourrait tirer un coup de feu et appeler Simon et Mathurin qui coupent du bois près de la maison. Ce signal alerterait en même temps l'ennemi et déclencherait une course entre les deux groupes dont l'enjeu sera sa mort et surtout celle des petits.

Sans lâcher le chien qui tremble de colère, Jeanne chuchote d'un ton sans réplique:

— Les enfants, cachez-vous ici, dans ce buisson. Ne bougez plus. Quand les Indiens seront passés, Nicolas comptera jusqu'à dix, deux fois, puis il courra vers la maison en tirant Isabelle par la main. Tu as bien compris, Nicolas?

— Oui, maman, assure le petit à voix basse.

Les yeux immenses, remplis de terreur, n'empêchent pas la voix d'être ferme.

— Tu avertiras papa et tu iras te cacher dans la maison. Vite. Entre là et ne bouge pas. Même si tu m'entends crier, il ne faut pas que tu sortes avant que le dernier Indien ne soit passé.

Les branches se referment sur les petits accroupis. Jeanne replace des feuilles et efface avec sa main les traces de pas.

Tendue comme un chevreuil aux aguets, la jeune femme attend. Le chien se déchaîne à ses côtés. Une voix gutturale lance un appel. Il faut que les Indiens soient bien sûrs d'eux-mêmes pour oser parler, eux qui glissent habituellement comme des ombres.

Ils surgissent à l'autre bout de la clairière, entre elle et la maison, bloquant la retraite. Ils sont quatre ou cinq, et leur coiffure, cent fois décrite par Mathurin, montre que ce sont des Iroquois. Ils ne semblent pas familiers avec le territoire, car ils regardent autour d'eux en discutant à mi-voix. Pas une seconde, la jeune femme n'a pensé à se cacher aussi. Les yeux trop perçants l'auraient vite découverte et il en résulterait une battue qui révélerait la présence des enfants.

Elle ne bouge pas, confondue avec le feuillage. Malgré cela, un des Indiens tend la main et la montre du doigt. C'est le moment d'agir. Avec un cri de terreur Jeanne simulant la panique, tourne sur elle-même, imitant la ruse de la mère perdrix. Puis elle ramasse sa jupe et détale dans la forêt, appelant Miraud qui la suit à contrecœur.

Comme prévu, les Iroquois s'élancent au pas de course et passent sans les voir devant les enfants. Ceux-ci ont maintenant la voie libre pour se réfugier à la maison.

Les petits sont sauvés, il reste à sauver la mère. Jeanne s'y emploie avec ferveur. Elle pousse des cris de putois, pour encourager ses pousuivants, puis, conservant son souffle, elle court à grandes foulées, maudissant la jupe encombrante. Le chien qu'elle ne retient plus se retourne et fait face aux Iroquois, lui accordant quelques secondes de répit. Elle en profite pour tirer un coup de feu en l'air, pour alerter Simon. Il lui répugne de perdre sa seule balle, mais elle n'a pas le temps de se retourner et de viser.

Le chien s'est tu. Est-il mort? Les pas sourds tambourinent derrière elle. La voilà au ravin où Nicolas est tombé. Son plan désespéré la menait jusque-là, comme si ce gouffre avait pu offrir la sécurité.

La fuyarde plonge entre deux buissons, se jette par terre, roule sur le ventre et sans regarder derrière elle, se laisse glisser sur la pente raide. Cette fois, elle ne cherche pas à ralentir sa course, et les pierres qui dégringolent et l'accompagnent dans sa descente ne l'arrêtent pas plus que les ronces qui agrippent sa robe.

Là-haut, momentanément décontenancés par sa disparition, les poursuivants se consultent. Ils sont en territoire ennemi, la femme a donné l'alerte. Cela vaut-il le risque de la suivre dans ce ravin?

Un bruit de branches cassées, puis des cris de plus en plus rapprochés annoncent l'arrivée du secours. Un seul Indien, résolu à ne ne pas perdre ce scalp facile, se laisse glisser à la suite de Jeanne. Moins pressé qu'elle il ralentit sa chute et étudie sa descente.

Rendu en bas, il tourne lentement, cherchant sur les pierres dures et parmi le fouillis des arbres morts les traces du passage de sa victime.

Là-haut, Simon a des ailes. Alerté par le coup de fusil, et sans lâcher sa hache, il a bondi dans la forêt en saisissant son arme. La Patte, oubliant son infirmité, le suit aussitôt. Sans ralentir, Rouville croise les enfants qui reviennent les yeux affolés. Gansagonas les interceptera et les mettra à l'abri. C'est Jeanne qu'il faut chercher. Lui, aussi, il tire en l'air pour prévenir de son arrivée.

Le signal d'alarme venait du nord, et de ce côté, le sentier longe le ravin. Avec un instinct sûr, le trappeur avance comme un bolide, bondissant par-dessus les obstacles, faisant le plus de bruit possible et poussant le cri de mort qui est sa spécialité lorsqu'il attaque et qui contribue toujours à décontenancer ses ennemis.

Le dernier des Iroquois s'est retourné et attend l'assaut. Simon, d'un crochet brusque, le contourne, le laissant à Mathurin qui arrive plus lentement, mais aussi bruyamment.

Rouville enjambe les corps enlacés d'un Peau-Rouge et de Miraud. Près du ravin, deux ennemis côte à côte font face à cette furie déchaînée qu'est Simon de Rouville lorsqu'il combat.

De la crosse de son long mousquet, il frappe un Indien à la tête, le faisant basculer dans le vide avec un grand cri. L'autre Iroquois se rue sur le Blanc qui s'est jeté de côté pour ne pas être emporté lui aussi par son élan.

Un coup de feu, derrière, montre que la Patte et son Iroquois se sont finalement rencontrés. Simon et le sien roulent sur le sol, à quelques pouces du gouffre où chacun essaie de précipiter l'autre. Le corps enduit de graisse de l'Iroquois glisse entre les mains qui l'étreignent. Les deux combattants laissent tomber le tomahawk et la hache, inutiles dans un corps à corps. La pensée de son épouse en danger donne à Simon une force nouvelle. Son avant-bras, appuyé sur la gorge de l'adversaire, étouffe peu à peu celui-ci. De la paume, le Peau-Rouge essaie de renverser la tête de Simon, pendant que sa main droite, coincée dans un étau de fer, est immobilisée sur le sol par le trappeur.

La Patte surgit sur le champ de bataille, sautillant sur un pied, s'aidant de la crosse de son mousquet, hors d'haleine, mais encore plein d'ardeur. Il sort son couteau et s'avance en boitant. Il y a déjà quelques années qu'il n'a pu participer à un combat, malgré sa fougue belliqueuse. Simon et lui, de vieux compagnons d'armes et d'aventures, ont partagé bien des dangers ensemble et se comprennent à demi-mot.

—Laisse-moi celui-là, halète Mathurin, en levant son poignard au-dessus de l'Indien temporairement étourdi par la pression sur son cou.

Sans un mot, Simon lâche son homme, roule de côté et se laisse glisser à son tour dans le gouffre, aussi vite et aussi imprudemment que son épouse tantôt. Rendu en bas, il appelle:

— Jeanne, brièvement, une fois, et tend l'oreille.

La jeune femme a entendu près de sa cachette la chute bruyante et horrible du corps qui tombait de là-haut. Déjà, son poursuivant atteint le fond du ravin. Tapie sous le gros arbre où elle a passé une nuit avec Nicolas, elle se terre, retenant sa respiration précipitée, priant pour que Simon arrive avant que l'Indien ne la découvre. Elle n'a qu'une branche morte pour toute arme, car le mousquet et son couteau ont disparu dans sa dégringolade.

Elle aperçoit les jambes de l'homme qui la cherche systématiquement, sans un mot, trahi seulement par son essoufflement.

Jeanne a entendu l'appel de Simon, mais n'ose élever la voix, car l'Iroquois est entre eux deux, son couteau à la main. Elle se recule encore d'un pouce, et acculée au fond du trou, elle attend. Aucun son ne lui parvient. Elle a l'impression qu'elle rêve toute cette aventure insensée, que le soleil ne peut éclairer tant d'horreur. Est-ce cette même panique que ressentait la mère perdrix, lorsqu'elle tournait en rond, l'été dernier, pour éloigner les ennemis de ses bébés menacés?

Jeanne qui lui a emprunté sa ruse voudrait bien lui demander aussi son courage. D'une main sur la bouche, la jeune femme étouffe un cri de terreur. Les branches viennent de s'écarter. Une figure triomphante, aux yeux implacables, surgit devant elle, lui coupant le souffle.

Malgré le bâton qu'elle agite devant elle, l'Iroquois s'agenouille avec un grognement de satisfaction. Sa main agrippe le poignet de sa victime, le tord, lui faisant lâcher son gourdin. D'un élan brusque, qui la propulse aux pieds de son ennemi, Jeanne se sent tirée de sa cachette.

— Simon, crie-t-elle enfin, retrouvant trop tard l'usage de la parole.

Une grande colère l'envahit à l'idée de mourir aussi bêtement quand elle a trouvé le bonheur et que le ciel est radieux. Le soleil amical luit gaiement sur la lame levée au-dessus de la fille du Roy qui se débat comme une bête sauvage, mordant, crachant, jurant. Les cheveux dans les yeux, elle lutte jusqu'au bout. Son ennemi fléchit, puis de nouveau, la main l'empoigne et la secoue. Toutes griffes dehors, elle réussit à refermer ses dents sur un poignet. Elle n'entend pas la voix qui l'appelle. Une gifle retentissante qui la rejette sur le sol, hors d'haleine, la ramène à la réalité.

Simon est à genoux devant elle, chevauchant le corps de l'Iroquois. Il souffle:

— Ma parole, tu es plus dangereuse qu'une horde de Peaux-Rouges. Et où as-tu appris ce langage?

Le sang coule de son poignet, mais peu à peu, son sourire éclatant détend sa figure crispée. Il vient de penser que lui-même et ses amis les trappeurs avaient été les professeurs d'éloquence profane de sa douce épouse. L'élève n'était pas une grande dame, béni soit le ciel, car qui a besoin d'une pimbêche en forêt?

Faible et sans défense, après le danger, Jeanne se laisse soulever dans les bras familiers. Les deux époux sont littéralement en lambeaux, habits effilochés, bras et jambes écorchés.

L'escalade est lente et pénible, cette fois. Au sommet, Mathurin les attend, furieux contre lui-même. Au dernier moment, son Iroquois lui a filé entre les doigts.

On ne retrouve pas non plus celui que Miraud avait si bien intercepté et qui a ponctué sa fuite de traces de sang.

Le gros chien, l'épaule entaillée par un coup de tomahawk, consent à se faire soigner par Jeanne qui l'a embrassé sur le front avec reconnaissance.

Une étude des vaincus permet aux deux coureurs des bois expérimentés de conclure qu'il s'agissait probablement d'un groupe isolé de jeunes braves. Impatientés de ne pouvoir prouver leur valeur par des raids officiels, ils s'étaient barbouillés de peinture de guerre et aventurés dans le territoire, à la plus dangereuse période pour eux, celle où les chasseurs travaillaient à leurs champs et pouvaient défendre leurs familles.

Désireux de «compter des coups», ces jeunes téméraires avaient mis en pratique la maxime de leur race: «Les Iroquois s'avancent comme des renards, frappent comme des lions et s'enfuient comme des oiseaux.»

On pouvait conclure que c'était une attaque isolée et peu susceptible d'être répétée. Pour plus de sûreté, Simon fit venir Anonkadé et un autre Huron et leur confia la garde de sa famille durant l'hiver.

33

Le canot glisse en silence entre deux murailles d'arbres flamboyants. Encore une fois, octobre célèbre son passage par une orgie de couleurs fantastiques.

Installée au fond de l'embarcation entre deux Indiens taciturnes, Jeanne compare le voyage actuel à celui de l'année dernière.

Alors, elle connaissait à peine le sieur de Rouville et l'étudiait avec méfiance. Maintenant, elle le connaît, elle l'aime et elle vole à son secours.

Simon, son Simon est quelque part dans la forêt, gravement blessé, et les Hurons avec qui il chassait sont venus chercher la guérisseuse. C'est le Rouquin qui les a envoyés, et lui-même est resté près de son patron. Impossible de tirer aucun renseignement de ces Peaux-Rouges d'origine algonquine, qui parlent un dialecte inconnu d'elle.

Ils ont surgi comme des ombres, conféré avec Anonkadé et attendu avec patience que leur passagère ait ramassé quelques vêtements, des couvertures, son sac de médicaments et les deux jupons de coton qui lui restent.

De nouveau, Nicolas a prêté son bonnet.

Vêtue en garçon, drapée dans sa cape et portant son manteau de loup, Jeanne a pris place dans le canot sans savoir où elle allait et ce qu'elle trouverait au bout du chemin. Les Indiens semblent attachés à Simon, ou celui-ci n'en a plus pour longtemps à vivre, car ils avironnent sans répit, nuit et jour, se relayant à l'arrière pendant que l'un d'eux sommeille au centre et que la jeune femme assise à l'avant déplore son inexpérience qui la rend inutile.

Des prières ferventes s'élèvent vers le ciel. Honoré Chatel, Mère Berthelet et Jocelyn sont de nouveau mis à contribution.

«Grand-père, grand-mère, dis à Dieu de ne pas appeler Simon tout de suite dans son paradis de la chasse. Donnez-moi encore quelques années, quelques mois. Laissez-le moi.»

Aucun indice ne laisse deviner la présence d'un campement, lorsque le canot pique vers la berge d'une petite rivière, à la fin de l'après-midi du deuxième jour.

Avec un grognement, un Indien s'accroche à une branche et fait signe à sa passagère de sauter à terre. En un instant, les bagages sont distribués et le grand canot dissimulé et invisible. Le plus silencieusement possible, sur un épais tapis de feuilles mortes, tous trois s'avancent dans la forêt. Jeanne chargée de son sac auquel elle s'accroche comme à une bouée, marche en automate, déjà rendue en esprit au but de son voyage et imaginant toutes les alternatives afin de n'être déconcertée par aucune.

Le Rouquin leur barre la route, puis s'efface et écarte des branches. Un ruisseau coule entre des conifères. Au pied d'un bouleau s'élève un abri de peaux et d'écorce, long de dix pieds et large de six. Tout près, un feu de camp surmonté de branches croisées qui supportent la marmite de fer indispensable à tous les campeurs.

D'un regard, Jeanne a posé au Rouquin la question que ses lèvres n'osent formuler. Il montre l'abri, soulève la porte de peau et dit simplement:

— Il vous attend.

Déposant son sac par terre, la jeune femme se penche, et s'agenouille à côté du blessé étendu sur un lit de feuilles. Elle avait tout prévu à part cette figure décharnée et barbue, ces yeux clos enfoncés dans les orbites, cette bouche tordue par la douleur, cette respiration rauque et irrégulière.

Simon est couché sur le dos; son long corps mince nu jusqu'à la taille est recouvert par une vieille couverture. Ses bras étendus au-dessus de sa tête sont attachés par les poignets à une courroie de cuir qui entoure le tronc du bouleau. Il tourne sa tête sans arrêt d'un côté à l'autre et tire sur ses liens qui lui déchirent la peau.

Indignée, Jeanne sort déjà son couteau pour le libérer quand le Rouquin qui s'est accroupi en face d'elle, de l'autre côté de Simon, l'arrête d'un geste.

— C'est nécessaire. Sans ça, dans son délire, il arrache son pansement et se fait du mal. Aussi, souvent il ne me reconnaît pas et il m'attaque. Il est très fort encore.

— Qu'est-ce qu'il a? chuchote la jeune femme, le cœur serré d'appréhension.

Le Rouquin tire la couverture et découvre le torse bronzé et amaigri. Un bandage malpropre et maladroit entoure la poitrine du blessé qui est soulevée par un souffle haletant.

Le garçon explique:

— C'est une embuscade des Iroquois. Ils nous ont surpris beaucoup plus au nord. Nous avons réussi à leur échapper, mais un Huron et Belzile sont morts. Le seigneur avait une flèche dans le côté, mais il a dû courir, ramper et avironner malgré ça, pendant longtemps. Quand nous avons été assez loin, j'ai essayé d'enlever la flèche. Je n'ai pas réussi. La deuxième fois, il s'est fâché et m'a assommé. Puis il a demandé qu'on le ramène vers le sud. Rendu ici, il ne pouvait plus continuer. Il m'a dit: «Va chercher Jeanne.» Je n'osais pas le laisser. J'ai envoyé les Algonquins. C'est tout.

Déjà, la guérisseuse est à l'œuvre. Elle détache le pansement collé à la chair et demande:

— C'est arrivé quand?

— Je ne sais plus bien.

Le Rouquin aussi est hagard et épuisé.

— Il y a six jours, une semaine. J'ai oublié. Peut-être moins.

Simon pousse un gémissement et ouvre des yeux fiévreux à la pupille dilatée. Longuement, il examine la figure soucieuse penchée sur lui. Avec difficulté, il articule de la voix plaintive de ceux qui souffrent beaucoup, depuis longtemps:

— Jeanne, aide-moi. Jeanne, fais quelque chose.

Cette supplication émeut la guérisseuse plus encore que la vue de la figure torturée de son mari. Comme à un enfant malade, elle répète d'un ton calme, rassurant, tout en examinant l'horrible blessure:

— Je suis là, Simon. Je vais te guérir. Tu n'auras

plus de mal. Je vais t'aider. Tu vas revenir à la maison et tout ira bien.

Son bel optimisme est uniquement verbal. La gorge serrée, elle voit la plaie infectée d'où émerge le bout cassé de la flèche iroquoise. Le blessé, brûlant de fièvre, referme les yeux et détourne la tête.

Doit-elle attendre la lumière du jour pour essayer d'enlever le projectile qui rend chaque inspiration si douloureuse? Quand on souffre tant, les heures deviennent interminables.

Dès que sa résolution est prise, Jeanne entre en action. Elle distribue des ordres et des instructions avec la fougue d'une Thérèse de Bretonville.

Les trois hommes transportent de l'eau et la mettent à bouillir dans la marmite bien nettoyée. On double les dimensions du feu, la meilleure source de lumière. Jeanne inspecte ses instruments bien inadéquats. Heureusement, elle a les tenailles offertes par le forgeron.

Tantôt, la jeune femme a attiré le garçon à l'écart. Les taches de rousseur criblent sa figure pâle d'émotion.

— Écoute, Rouquin. Tu vas me parler sans arrêt, m'encourager, me distraire, pour que je ne l'entende pas et pour que je ne faiblisse pas. Tu sais, je ne suis pas une très bonne guérisseuse encore et j'ai peur.

— Je comprends, a dit le Rouquin. Son cœur simple lui dicte un geste impulsif. Serrant le bras de Jeanne, il ajoute en confidence:

— L'important, madame, c'est que vous soyez là.

Cette phrase magique qui a transformé sa vie, il l'offre comme un talisman.

Les deux complices échangent un pâle sourire.

Finalement, tout est prêt. Les côtés de la tente, relevés, laissent entrer la lumière et la chaleur. Deux torches de résine enflammées, plantées dans le sol, éclairent la scène lugubre. Jeanne, assise sur ses talons, à côté de son mari, fait face au feu. Une dernière fois, la guérisseuse repasse mentalement tout ce qu'elle devra faire, puisant dans ses souvenirs des opérations de Sœur Bourgeoys et dans sa propre expérience bien insuffisante. Quand elle aura commencé, elle ne devra pas hésiter.

Ses manches retroussées, ses mains lavées, ses instruments rangés près d'elle. Les jupons découpés en pansements sont proprement roulés. Le fil blanc est là ainsi que la gomme de sapin recueillie à la pleine lune par le bonhomme Hippolyte.

Simon a suivi ces préparatifs de ses yeux toujours si étrangement lumineux par leur pâleur glauque. Il a essayé de sourire malgré ses lèvres desséchées, pour lui donner du courage et en demander.

Depuis une heure, le Rouquin fait avaler au malade des gorgées d'eau-de-vie, ce qui reste de la bouteille empruntée au mort des Quatre-Ruisseaux, que le sieur de Rouville n'a pas entièrement vidée ce jour-là. En femme pratique, elle l'avait conservée.

Le plus lourd des Algonquins s'assoit sur les jambes du blessé, pour le maintenir. À sa tête, agenouillé sur les bras tendus, le Rouquin tient le morceau de bois qu'il glissera entre les dents de Simon, comme Jeanne le lui a indiqué. Même si la lueur du feu signale leur présence, il serait dangereux d'alerter les ennemis possibles par des cris qui peuvent résonner très loin dans le silence de la nuit.

Rapidement, pour ne pas prolonger l'agonie de son mari, la guérisseuse se met à l'œuvre, soutenue par la voix du garçon dont elle n'entend pas les paroles.

Les tenailles glissent, échappent le bout de la flèche, le reprennent. Réclamant de la force au ciel, Jeanne tire de tous ses muscles et finalement, après une éternité d'efforts, le projectile logé sous l'os de la côte, s'arrache à la chair.

Simon a frémi, s'est tordu puis arc-bouté, les mâchoires crispées sur le bout de bois. Il a lutté longtemps pour enfin s'écraser dans un évanouissement qui a soulagé les autres autant que lui.

Maintenant, il repose, sous le manteau de loup, à la chaleur du brasier, ses cheveux collés au front, sa respiration presque imperceptible. Étendue près de lui, Jeanne veille, attentive au moindre souffle. Sa part est faite. La Providence et la nature feront le reste.

Pendant trois jours et trois nuits, le sieur de Rouville délire et se croit prisonnier des Iroquois qui le torturent. Il leur crie des injures qui anéantissent le Rouquin cramoisi. À d'autres moment, la vie rude menée par le sieur de Rouville, trappeur et bâtisseur, défile devant ses yeux.

Toute la solitude de l'exil et des hivers en forêt, la déception de son premier mariage s'expriment dans son discours sans suite. La mort d'Aimée et de son bébé le hante.

Le nom de Jeanne revient sans cesse, et ce mari farouche qui ne savait pas dire: «Je t'aime», le dit de cent manières différentes, en phrases incohérentes.

Lorsqu'il s'agite trop, dans les liens qu'il avait fallu replacer, la garde-malade lave sa figure tourmentée et lui parle doucement, comme à Nicolas, pendant la nuit passée sous un arbre. Docilement, le malade avale les potions, l'eau ou le bouillon, pour les vomir ensuite. Inlassable, Jeanne le nettoie et recommence.

Le Rouquin oblige parfois la guérisseuse à prendre quelques heures de repos pendant lesquelles il la remplace de son mieux.

Le quatrième matin, Simon ouvre les yeux, tourne la tête et regarde sa femme pâle et cernée, qui sommeille, assise, la tête sur ses genoux repliés. Avertie par un sixième sens, elle aussi ouvre les yeux et se redresse péniblement, le dos cassé.

Un filet de voix autoritaire ordonne:

— Va te coucher tout de suite. Et détache-moi. Je ne partirai pas.

Simon était sur la voie de la guérison. Il y fit de rapides progrès.

À la fin de le semaine, le conseil de guerre dont le blessé était exclu, mais qu'il dominait de ses ordres et de ses conseils, décida de revenir au plus vite vers la civilisation, avant que le froid et la glace ne les obligent à hiverner sur place.

Étendu au fond d'un canot, le tête sur les genoux de son épouse, le blessé dormait lourdement, ou exigeait de se faire raconter des histoires qu'il n'écoutait qu'à demi.

— Je perds mon temps, s'impatienta finalement Jeanne, lorsqu'il ferma les yeux au plus beau moment de son récit du Chevalier d'Azur.

Un sourire béat détendit la figure pâlie sous son hâle. Simon assura:

— Mais non, continue. Ça n'est pas l'histoire qui m'intéresse surtout. C'est ta voix et ton choix de mots.

— Il n'est pas juste, mon choix de mots?

— Il est adorable comme toi, à la fois érudit et terre à terre. Qu'a fait le pauvre chevalier d'Azur, quand sa belle a claqué la porte du château?

Résignée, la conteuse reprit son histoire, tout en peignant avec ses doigts la courte barbe noire qui donnait à son mari l'air d'un corsaire du grand large. Au bout de cinq minutes, elle se tut. Il dormait, et sa main, comme celle d'Isabelle dans son sommeil, se cramponnait aux doigts de la fille du Roy.

34

La convalescence, commencée avec la première neige, alla en progressant, ou plutôt, en se détériorant. À mesure que le blessé prenait des forces, la maisonnette semblait rapetisser. Bientôt, Jeanne, excédée, eut l'impression que les murs allaient éclater à force de contenir tant d'énergie sous pression.

Pour se donner de la patience, pendant que Simon grognait contre le froid, la neige, les bûches de l'âtre et la chaleur, la maîtresse de maison fredonnait distraitement:

Lui y a longtemps que je t'aime,
Jamais je ne t'oublierai...

Un silence insolite fit lever la tête à la chanteuse. Assis sur le lit, Simon, le dos appuyé au mur, la dévisageait avec des yeux sévères.

— Qu'y a-t-il encore? Je chante faux?

— Faux, ça ne serait rien. C'est la chanson elle-même qui m'inquiète.

Trop tard, Jeanne comprit que pour quelques secondes, elle était redevenue Jean Chatel, le gamin aux longues oreilles qui avait beaucoup appris en voyageant.

— Viens ici tout de suite, et raconte-moi comment une grande dame comme toi peut avoir entendu et surtout retenu ces couplets. Laisse cet interminable raccommodage et viens t'asseoir ici, près de moi. Un mari, même éclopé, a de graves responsabilités.

Faussement soumise, la jeune femme déposa son ouvrage. Par la fenêtre, elle voyait Nicolas et Isabelle qui dévalaient la pente en traîne sauvage, pousuivis par Miraud.

Elle s'installa sur le lit, à côté de Simon, la tête sur l'épaule gauche, pour éviter la cicatrice encore sensible.

Le sieur de Rouville déclarait anxieusement:

— Je ne peux permettre ce langage sous un toit qui abrite une fille du Roy. Et que dira notre futur fils, lorsqu'il entendra chanter sa mère?

— Ce sera une fille, tu le sais bien. Elle trouvera que j'ai bien du cœur de chanter dans l'épreuve, avec un mari comme toi à portée de voix pour me dicter tous mes actes. Viens. Mets ton manteau, nous allons marcher dans la neige. Tu te dorlotes trop.

Ce Noël fut le plus beau des vingt années de la vie mouvementée de Jeanne Chatel de Rouville.

Simon lui offrit un «ber» qu'il croyait avoir fabriqué en cachette. Elle lui remit une chemise à frange confectionnée de ses mains, pendant qu'il faisait des siestes, les yeux indiscrètement entrouverts pour l'admirer en secret.

Nicolas et Isabelle récitèrent solennellement les poèmes que leur mère leur avait enseignés patiemment et que leur père les avait entendu ânonner mille fois.

Miraud et le chat, côte à côte, se chauffaient devant l'âtre.

Le Rouquin, Mathurin, Gansagonas et même les deux Hurons, attirés par tant de joie et de chaleur, partagèrent le festin servi dans des assiettes de bois. La petite maison blottie sous la neige vibrait de rires et de chansons. Par sa fenêtre vitrée, un rayon de lumière dorée répandait jusque sur la neige le message de gaieté.

35

Jeanne et Mathurin entaillent les érables en essayant d'évaluer la quantité de sucre qu'ils produiront cette fois-ci. C'est une bonne année pour la sève.

— C'est une bonne année pour tout, décide la jeune femme. Simon est rétabli, Nicolas sait lire, Isabelle ne suce plus son pouce, j'attends un bébé.

Pour ne pas être en reste, la Patte reprend la litanie heureuse.

— Miraud ne court plus les lièvres. Gansagonas a guéri mes rhumatismes... enfin, ceux de ma jambe. Pour le bras, il faudra d'autres cataplasmes.

Nicolas, qui taille les chevilles de bois qu'on enfoncera dans les troncs, se mêle au jeu:

— Il n'y a plus de pierres dans le jardin. Papa et le Rouquin vont rapporter beaucoup de fourrures, même s'ils sont partis trop tard. Et maman aura un autre garçon.

— Moi, ajoute Isabelle à cette énumération de bonnes choses, je ne suis pas encore tombée à l'eau avec ma pelisse neuve. Et maman aura une autre fille.

Miraud se dresse, tourné vers la rivière. Le chien ne gronde pas, ce ne sont pas des Indiens. Donc ce seront des visiteurs... ou le père de famille, revenu plus tôt que prévu?

Chacun court vers la berge, plein d'anticipation. Deux canots passent, rapides, silencieux, chargés à ras bords de gens dont les yeux effrayés effleurent sans les voir les spectateurs intrigués.

Une troisième embarcation ralentit un instant. Jeanne reconnaît la famille Bibeau dont la fille s'est mariée l'été dernier. Le père, dit, sans élever la voix:

— Les Iroquois. Ils sont partout. Sauvez-vous. Ils nous suivent.

Sa femme le fait taire, égoïste dans sa terreur.

— Perds pas de temps. Vite. Avance. Ils vont nous rejoindre. Ils sont juste derrière nous.

Les Bibeau s'éloignent dans une hâte panique.

Jeanne tourne vers Mathurin une figure livide. Miraud gronde, son échine se dresse, il tremble de rage. La jeune femme lui entoure le museau, et ordonne à voix basse:

— Les enfants, couchez-vous sous le canot. Ne bougez plus.

Elle attire le chien avec elle derrière un buisson. La Patte est déjà étendu, son mousquet devant lui.

Quatre Iroquois surgissent au détour de la rivière, penchés sur leurs avirons. Immédiatement après, deux autres embarcations suivent. Presque écrasé par Jeanne, Miraud s'étrangle d'indignation silencieuse.

Sans un regard pour les Blancs tapis sur la berge, les Peaux-Rouges disparaissent, gagnant du terrain sur leurs victimes.

Immobile, le groupe attend. Dix minutes passent n'amenant rien de nouveau. Avec précaution, la mère lâche le chien qui ne bouge pas. Pour l'instant, il n'y a pas d'ennemis en vue.

Mathurin indique le canot du menton:

— On s'embarque?

Jeanne se tient les tempes à deux mains pour mieux réfléchir. Elle a déjà formé cent projets prévoyant ce genre de situation. Lequel de tous ces plan est le meilleur actuellement?

— Non. Pas le canot. Ils sont devant et derrière. Restons ici.

— On ne peut pas prendre le bois, c'est certain. Il en viendra par là aussi.

— Vite, les enfants. À la maison.

Gansagonas paraît sur le pas de la porte. Elle tient un sac lourd de provisions. La Huronne, conseillère et confidente, sait déjà laquelle des alternatives est préférable.

Elle dépose le sac et rentre en préparer un autre. Jeanne annonce, d'un ton que ne désavouerait pas Simon le despote:

— La Patte, j'amène la famille dans le caveau. Que ferez-vous?

— Je reste au bord de l'eau, caché dans les buissons. Anonkadé va revenir de la pêche d'ici quelques heures. Lui et son ami nous aideront.

— Et le chien?

D'un coup d'œil, Jeanne et Mathurin se comprennent. On ne peut risquer que Miraud trahisse la cachette de ses maîtres, dans son zèle pour les protéger.

— Je le prends avec moi, décide le vieux chasseur, la main sur son couteau, avec un signe de tête à sa maîtresse.

«Pauvre Miraud», pense Jeanne. Puis aussitôt, elle complète: «Pauvre nous.»

— Vite, les petits. Suivez-moi. Nous allons jouer à nous cacher dans le caveau, comme pendant les répétitions.

La ruse de la perdrix vaguement mêlée au stratagème du cheval de Troie a inspiré à l'astucieuse fille du Roy une façon possible de déjouer les ennemis.

Jusqu'à présent, les Blancs opposaient aux attaques iroquoises soit une résistance désespérée, soit une fuite plus désastreuse encore. Le caveau, creusé par Simon pour abriter ses pelleteries, a été agrandi, amélioré et assaini par Jeanne et la Huronne. Son utilisation inattendue offre une mince chance de salut.

— Est-ce qu'on fera un goûter, comme la dernière fois? demande Isabelle qui conserve un bon souvenir des exercices pratiqués maintes fois depuis le départ de leur père.

— Oui. Peut-être plusieurs.

— On aura de la lumière? s'inquiète Nicolas pour qui le noir cache encore des menaces, depuis sa chute dans le ravin.

— Gansagonas sera là, et moi aussi. Vite. Descendez.

La tourbe soigneusement déplacée découvre la trappe carrée. Une échelle rustique plonge dans le noir. Nicolas hésite. Jeanne le pousse.

— Il y a une bougie en bas, et une pierre à feu. Allume-la pour moi, comme je t'ai montré.

Très fier, le gamin vainc sa peur et descend agilement. Isabelle éclate en larmes.

— Où est Zeanne? Elle va vouloir venir.

— Je te l'apporterai tantôt. Saute.

Agenouillée au bord du trou, la jeune femme empoigne Isabelle par les mains, la balance dans le vide et la lâche, à un pied du sol. Aussitôt, la fillette qui tient bien de son père, accable de conseils son frère qui s'évertue à provoquer une étincelle.

Il fait froid et humide dans cette cave basse, creusée à même la terre. Des peaux de fourrure, reliquats de la première expédition malheureuse de Simon avant Noël, attendent que le trappeur complète ses ballots. Une forte odeur de fauve emplit l'espace clos.

Gansagonas, sa figure soigneusement impassible, les yeux brûlants, arrive avec des gourdes d'eau, des sacs, des couvertures et des vêtements. Sans un mot, elle s'engouffre dans le caveau. C'est la deuxième fois qu'elle affronte les Iroquois avec les enfants. Lors du dernier raid, elle a eu le temps de fuir dans la forêt pendant que les barbares brûlaient la maison, scalpaient sa maîtresse et tuaient le bébé dans ses bras.

Cette fois-ci, elle est trop heureuse de laisser cette Blanche déterminée prendre les décisions.

Jeanne dit:

— Je referme la trappe. Barricade-la par en-dedans. Tu l'ouvriras quand je frapperai deux coups. Tu sais quoi donner aux enfants.

Sans discuter, l'Indienne tire la trappe. Par bonheur, au même moment, Nicolas a réussi à allumer sa bougie. Les premières minutes ne seront pas trop pénibles. Jeanne replace la tourbe, découpée avec art par Simon. Personne ne peut soupçonner la cachette. Maintenant, il reste à préparer la mise en scène projetée par Jeanne dont l'imagination fertile et le sens pratique envisagent chaque aspect d'un problème à venir. Comme elle aurait voulu discuter de ce plan avec Simon. Pourvu qu'elle ait le temps de le réaliser avant l'arrivée des Iroquois.

Autant l'orpheline est gauche et maladroite en société ou dans les travaux ménagers, autant elle est vive et précise en cas de dangers ou d'alertes. Comme un ouragan déchaîné, elle est partout.

Du coffre de son trousseau, elle tire la longue tresse coupée l'été dernier. En courant, elle va jusqu'à la rivière où elle l'accroche à une branche bien en évidence.

D'un coup de pied, elle défonce le canot d'écorce et le pousse vers le large où il s'enfonce lentement. Les avirons, lancés à toute volée, descendent le courant en tournoyant.

— Bonne chance, la Patte, jette-t-elle vers les buissons où elle devine sans le voir la présence du vieux chasseur. Miraud a un gémissement. Il voudrait tellement venir la rejoindre. Tant qu'il y aura un espoir, Mathurin épargnera le chien devenu son compagnon de chasse. Mais on ne peut risquer tant de vies pour sauver un animal. Dès qu'il aura donné l'alerte, il faudra l'exécuter.

Jeanne ramasse ses jupes, dans son mouvement impatient et familier. Elle galope vers la maison, appuie son mousquet près de la porte. Elle endosse en vitesse l'habit de «son frère», entoure sa taille de la ceinture qui a peine à en faire le tour. Ce bébé tant attendu, tant espéré, aura-t-il la chance de voir le jour?

La jeune femme s'assure qu'elle a tout ce qui lui faut: le couteau offert par Charron, le cornet de poudre, le sac de balles de plomb.

Jeanne empoigne le contenant d'huile de loup-marin, le combustible pour les lampes qu'elle a échangé contre du sucre d'érable. Elle répand le liquide visqueux sur la table, sur le plancher, sous le lit. Le beau couvre-pied de courtepointe va rejoindre près de la porte la cape grise, le manteau de loup et la poupée Zeanne.

A-t-elle oublié quelque chose? Elle fait le tour de la cabane pour vérifier. Ah oui! le sucrier fleuri offert à Isabelle par Thérèse de Bretonville et qui contient encore du sucre d'érable séché, pulvérisé par Nicolas, le gourmand.

Un coup de feu vient de retentir près de la rivière. Mathurin commence son combat sans espoir. Les Iroquois sont venus trop vite. La conspiratrice n'aura pas le temps de mettre son beau projet à exécution. Il ne faudra pas, sous aucun prétexte, qu'elle s'approche de la trappe du caveau. La perdrix ne trahit pas ses petits.

Une ombre obscurcit la lumière que découpe la porte. Jeanne pivote sur elle-même, le sucrier dans les mains. Un Iroquois est là, le visage peint, hideux, menaçant, son tomahawk au bout du bras.

Il ne semble pas pressé et il est seul. D'un regard à travers la vitre, la belle vitre précieuse, la jeune femme s'en assure. Un petit canot est tiré sur la berge. Les Iroquois voyagent toujours à deux dans ces embarcations. Est-ce sur le compagnon de celui-ci que Mathurin a tiré? Pourquoi ne tire-t-il plus?

Toutes ces questions se bousculent sans réponses

dans la tête de Jeanne. Sur le seuil, l'Indien n'a pas bougé et il l'examine longuement, intrigué par ses réactions inattendues. Habituellement, les Blanches hurlent, deviennent hystériques ou s'évanouissent. Celle-ci le toise calmement et s'avance vers le foyer, sans lâcher son sucrier.

Elle se penche, ramasse une bûche dont un bout fume encore, l'agite dans les tisons pour en ranimer les étincelles et tranquillement le dirige vers la table luisante d'huile.

Avec un grondement sourd, le feu couvre la surface et s'élève vers le plafond. L'Iroquois pousse un cri de rage et s'élance en levant sa hache. Cette folle n'a pas le droit d'allumer elle-même l'incendie sans lui donner temps de fouiller, de piller et de choisir des trophées.

Pendant trop d'années de sa jeunesse, la petite-fille du braconnier a transporté de la poudre de moutarde et s'est conditionnée à s'en servir. Instinctivement, d'une détente, elle lance le contenu du sucrier à la figure du Peau-Rouge. Les gros morceaux de sucre brun ne l'affectent pas, mais la poudre soigneusement écrasée par le pilon de Nicolas, emplit les yeux de l'homme surpris. Il y porte ses deux mains, avec le même réflexe que Thierry autrefois. Aussitôt, la rage familière s'empare de la dame de Rouville quand elle voit cette brute qui ose envahir sa maison et menacer sa famille.

Ses doigts se crispent sur le long manche de la poêle de fonte, elle l'élève et avec toute la force de sa colère, l'abat sur la tête penchée, aux cheveux graisseux. Le Peau-Rouge s'écroule comme une masse. Les flammes gourmandes lèchent les murs, gagnent les autres flaques d'huile et dansent leur ronde infernale.

Jeanne se secoue et court vers la porte avant que le feu ne lui coupe la retraite. En passant, elle trébuche sur l'amas de vêtement qu'elle a lancé là tantôt. Sa main agrippe son mousquet, pendant que du bout du pied, elle jette dehors le manteau, la cape, le couvrepied et la poupée. Toutes les possessions sont tellement rares en Nouvelle-France que chacun s'attache aux siennes même dans les plus grands dangers.

D'un coup d'œil circulaire, la jeune femme s'assure qu'aucun autre ennemi n'est en vue. A-t-elle le temps de se débarrasser de ce nouveau canot? Il le faut, car sans cela, sa mise en scène devient inutile.

Il faut que les prochains Iroquois qui passeront voient des ruines fumantes, une mèche de cheveux qui raconte une histoire triomphante de scalps et de meurtres. Ils continueront leur chemin, cherchant de nouvelles proies que leurs frères n'auront pas encore touchées.

Cette seconde descente à la rivière demande plus de courage à Jeanne que tous ses actes précédents. Elle est vidée de sa rage et de son audace. Elle n'a qu'une idée, plonger elle aussi dans la sécurité du caveau. Elle hésite une seconde.

Pourtant, c'est vers l'eau qu'elle court, le canot léger, poussé vigoureusement jusqu'au milieu de courant, descend de lui-même et s'éloigne sur les flots grossis par le dégel.

Très bas, elle appelle:

— Mathurin?

Personne ne répond. Elle s'enfonce sans même la plus élémentaire prudence dans les buissons où se cachait le chasseur. La mère courageuse n'est plus qu'un automate, et c'est mieux ainsi. Sans horreur, sans réaction, elle contemple à ses pieds le cadavre du chien égorgé, et plus loin, un Indien qui a dû être tué presque à bout portant par la Patte, car son tomahawk a eu le temps de défoncer le crâne chauve du vieux coureur des bois.

Jeanne laisse les branches se refermer sur ce spectacle qu'elle retrouvera dans ses cauchemars. Au pas de course, elle revient vers sa maison qui flambe allégrement, son beau château dans la forêt. Avec un craquement sec, la vitre éclate.

Étalant le couvre-pied, elle y entasse les vêtements, Zeanne et même le chat qui accourt vers elle, revenant d'une chasse fructueuse.

Deux coups secs. La trappe s'ouvre. La flamme de la chandelle vacille. Il fait moins froid, les corps entassés réchauffent l'atmosphère. Par contre, l'air est déjà lourd. Les trous d'aération prévus par les deux femmes suffiront-ils? Les enfants dorment profondément, ayant ingurgité la forte dose de parégorique, le calmant prescrit par la guérisseuse et préparé par la Huronne.

Il faut éviter aux petits l'horreur de l'attente dans le noir, et ne pas leur laisser l'occasion de pleurer ou d'élever la voix.

Avec soin, Jeanne abaisse la trappe. La tourbe était bien en place; aux «répétitions», elle se confondait d'elle-même avec l'herbe environnante.

— Grand-père, arrange ça pour moi. Toi, tu le vois d'en haut. Cache-nous bien.

Rapidement, la jeune femme met sa compagne au courant des derniers événement. Ensemble, elles font un inventaire silencieux de leurs richesses. Il faudra rationner l'eau. La mère recouvre de sa cape les enfants étendus sur les fourrures étalées. Elle-même s'entoure du manteau de loup. Si elle survit, son petit ne doit pas souffrir de ses imprudences. Elle sourit à cette sollicitude tardive. Jeanne s'étend à côté des enfants, place la pierre à feu et son mousquet près d'elle et enfonce son poignard dans le plancher comme le faisait Simon. La nourriture est empilée près d'elle et l'eau n'est pas loin. Un dernier signe de la main à Gansagonas qui incline la tête, puis Jeanne souffle la chandelle. La noirceur comme une présence les entoure et les écrase. L'interminable vigile commence. Heureusement, les enfants dorment, et dès qu'ils se réveilleront, on les fera manger puis avaler une nouvelle potion. Le chat ronronne aux pieds de Jeanne, seul symbole d'une présence vivante dans cette tombe glaciale.

«Grand-père, Mère Berthelet, Jocelyn, je vous aime beaucoup, mais ne m'attendez pas tout de suite, de grâce. J'ai encore tant de choses à faire, de gens à aimer. Simon, où es-tu? Simon, si tu viens à mon aide, méfie-toi des Iroquois. À quoi ça me servirait-il de sortir vivante d'ici si tu ne m'attends pas au soleil?

Simon, notre fils aura tes yeux. Et nous rebâtirons notre maison. Simon, nous serons heureux, je veux que nous soyons heureux.»

36

Pouce par pouce, prudemment, la trappe se soulève. Il fait jour. Ça n'est pas encore le bon moment.

Silence. Attente. L'oreille aux aguets ne perçoit que plus de silence encore. Les ronronnements sont devenus exaspérants. Ils résonnent et se réverbèrent, semblant venir de partout à la fois.

Vaut-il mieux dormir et rêver, ou veiller et imaginer? Est-ce le temps d'une nouvelle incursion? Une bouffée d'air frais s'infiltre prudemment et frappe trop fort à la figure, donnant le vertige, faisant presque lâcher l'échelle. Fait-il noir, ou des yeux trop habitués à l'obscurité ne savent-ils plus voir?

L'odeur âcre de l'incendie prend à la gorge, apportée par le vent.

En soulevant la trappe, on voit devant et sur les côtés. Peut-être l'ennemi est-il derrière, tapi depuis des heures, attendant avec la patience infinie du sauvage, que la victime se prenne à son piège? Tant pis. Il faut savoir.

Trois jours, autant de nuits, peut-être plus se sont passés. Il faut changer l'air, respirer. Si c'est nécessaire, on replongera dans les ténèbres.

Silence. Les bruits de la nuit. Les cigales, les grenouilles. La lune douce argente le pied des arbres.

Devant, plus de maison. Des poutres noicies dans le ciel. La cheminée dressée. Les cheminées de Simon ne tombent pas. Elles demeurent, comme des monuments à ses deuils. Il faudrait balayer tout ça, reconstruire, vivre de nouveau à la lumière.

Y a-t-il des gens insouciants qui osent sortir au soleil, élever la voix, rire dans la clarté?

La trappe soulevée laisse passer la jeune dame de Rouville, petit bedon et le reste. Rien derrière? Rien devant?

Le nez dans l'herbe, qu'il fait bon humer la nuit. Mathurin aussi avait le nez dans l'herbe, et une hache dans le crâne. Pauvre Mathurin. Pauvre Miraud. Pauvre maison de Simon et de Jeanne.

Allons, du courage. Ceci est une sortie de reconnaissance. Il faut reconnaître.

À quatre pattes, c'est moins dangereux. C'est plus facile aussi. C'est même nécessaire, car les troglodytes ankylosés ne savent plus marcher. Quel beau mot enseigné par grand-père: troglodyte. Simon rira en le lui entendant dire.

Simon peut-il encore rire?

Qu'est-ce que ce bruit? Maintenant, il et trop tard pour retourner vers la trappe. La mère perdrix ne trahit pas ses petits.

— On a parlé. Qui a osé parler devant les ruines de la

maison? Deux hommes. Deux ombres assises sur le seuil calciné.

Il faut s'éloigner, attirer l'ennemi loin des perdreaux, vers la rivière.

Lentement, doucement.

Les hommes parlent. Un murmure indistinct. Voici le sable sous les mains et les genoux. Et le buisson où Mathurin dort, le nez dans le foin.

Il y a deux canots sur la berge. La ruse n'a donc pas complètement réussi? Les Iroquois se sont arrêtés, et ils attendent, malgré tout.

L'un d'eux a appelé. Il a dit:

— Rouville. Viens-tu?

Un soupir lui a répondu, venant de tout près, de la rive.

Les Iroquois ne parlent pas français, ne disent pas: «Rouville, viens-tu?»

Dans la lueur de la lune, un homme est agenouillé par terre, les épaule courbées. Il passe ses doigts dans les longs cheveux qu'il a décrochés de la branche où ils flottaient.

Les Iroquois ne pleurent pas doucement en répétant: «Jeanne, ma Jeanne», tout bas.

C'est très amusant, cette histoire d'Iroquois, et de chat, et de chien, et de cheveux... Il faudra la raconter à Simon qui ne l'écoutera pas jusqu'au bout. La terre tourne à en donner le vertige. L'homme s'est dressé, brusquement. Son couteau brille dans sa main. Il s'avance sans bruit. Les cheveux pendent de sa main gauche.

Des cheveux ne poussent pas dans la main. Comme il est grand et silencieux. Est-ce une ombre? Un rêve comme le reste ou un cauchemar?

Le poignard brille sous la lune comme il a brillé au soleil autrefois... autrefois... autrefois...

Maintenant, il ne faut plus se réveiller parce que le rêve est merveilleux.

Des bras forts, des lèvres chaudes, une voix qui vibre et qui répète cent fois la même chose. Il faut dormir encore, longtemps, pour rêver à Simon qui me berce et qui pleure dans mes cheveux. Ceux de ma tête, pas ceux de l'arbre.

Il faut lui dire que les enfants dorment sous la terre... Il sera content. Simon sera content... Il rira et construira une belle maison... Il cessera de crier: «Charron. Rouquin. Elle est ici. Jeanne est ici. Ils sont sauvés.»

Il faudra un nouveau «ber» pour le bébé aux yeux verts... Et un «ber» pour Zeanne... Et un nouveau chien... Une autre poêle à frire aussi pour assommer les Iroquois... Il y aura une armée de filles du Roy brandissant des poêles à frire. Il faudra un sucrier pour la moutarde... Pourquoi ces doigts sur mes lèvres? Je peux parler pendant cinq heures. Je l'ai déjà fait un jour. Mais personne ne me faisait taire en m'embrassant. Personne ne me serrait à m'étouffer.

Quand je m'éveillerai, je dirai tout ça à Simon. Et je m'enfoncerai dans ses yeux pâles comme la lumière.

37

Ville-Marie, août 1674

Chère Marie,

Ce n'est pas une année, mais deux qui se sont écou-
lées, depuis que j'ai remis ce cahier jauni à Mademoiselle
Crolo. J'y retrouve mes angoisses de jeune mariée et ma
promesse d'un épilogue. Le voici. Des voyageurs partent ce
soir pour Québec pour échanger les fourrures des chasseurs
du Nord. Ils te porteront ce récit.

Jeanne relève la tête et contemple le fleuve qui coule
près de la fenêtre où elle est assise. Depuis deux jours, elle
et sa petite famille sont les invitées de Sœur Bourgeoys, à
Pointe Saint-Charles. La ferme Saint-Gabriel, achetée par
la fondatrice, héberge maintenant ses élèves pensionnaires et les filles du Roy qui attendent des maris en appre-
nant à tenir maison.

Les sœurs de la Congrégation, dont plusieurs sont
les novices qui ont fait la traversée avec Jeanne Chatel,
ont accaparé les enfants et les gâtent outrageusement. On

entend des cris de joie venant de la laiterie. Isabelle et Nicolas n'ont jamais vu traire une vache, et le spectacle les enchante.

Songeuse, la jeune femme appuie ses coudes sur la petite table branlante qu'un soldat reconnaissant a fabriquée pour Sœur Bourgeoys. Comment exprimer sur une feuille de papier tout le bonheur que renferme un cœur heureux?

«Par où commencer?» se demande Jeanne. «Si je pouvais lui parler, de vive voix, cela serait tellement plus facile. J'ai toujours été reconnue pour mes récits dramatiques. Ce papier me paralyse.»

Résolument, elle plonge la plume dans l'encre et écrit d'un main ferme:

Je craignais de bien mal te remplacer, toi si jolie et si douce, auprès du sieur de Rouville.

«Finalement, c'était bien mieux que ce fût moi que toi qui devienne sa femme. Comment dire cela poliment?»

Je redoutais l'ombre de l'épouse perdue à qui je ressemblais trop.

«Que de malentendus, à cause de cette malheureuse coïncidence.»

Je n'avais pas à craindre la mémoire de la pauvre Aimée.

«Elle s'effaçait dans la mort, comme elle l'avait fait dans la vie, petite ombre peureuse et triste. Il ne serait pas très délicat de le mentionner.»

Les enfants pâles et craintifs m'ont brisé le cœur en m'appelant «maman».

«Maintenant, ils me le briseraient autant s'ils ne le

faisaient pas. Malgré cela, j'apprécie pleinement ce congé où je les entends de loin.

Depuis ce matin, Simon s'affaire à la ville où il retrouve ses amis. Comment décrire mon époux à Marie?

Si je lui dis qu'il est grand et bronzé, avec des dents éclatantes et des yeux extraordinaires, elle croira que j'exagère, comme d'habitude. Et cette description risque de lui faire trouver fade et banal son propre mari, le gentil petit lieutenant Dauvergne.

Dois-je lui avouer que mon seigneur est autoritaire, brusque et moqueur? Qu'il me bouscule sans cérémonie, me traite cavalièrement et s'attend à ce que je comprenne tout à demi-mot? Ma pauvre amie me croira mal mariée, avec une brute dépourvue de délicatesse.»

Jeanne, rêveuse, suce sa plume d'oie sans en extraire l'inspiration. Elle continue, cherchant ses mots:

Ton cousin Simon de Rouville est exactement le mari qu'il me fallait, tout le contraire de l'idéal dont nous rêvions autrefois. Ce qui prouve que les jeunes filles romanesques ne savent pas ce qui leur convient.

J'ai revu notre Thierry au cheval blanc. Il parcourt les forêts du Canada en poursuivant son rêve de liberté.

Nous habitions une cabane en plein bois, à peine assez grande pour contenir notre bonheur.

«Je n'ose raconter que c'est moi-même qui y ai mis le feu. Elle croirait que c'est par étourderie.»

Nous achevons de construire notre nouvelle maison. Elle sera magnifique.

Jeanne réféchit, préoccupée. Elle revoit l'habitation de billots, élevée sur les ruines calcinées, par Simon, le Rouquin et Charron. Deux cheminées, deux pièces, un grenier et trois fenêtres vitrées, luxe inouï. Même si elle énumère tout cela, Marie qui habite la ville n'aura pas une juste idée de la splendeur de leur seconde demeure. Tant pis!

Nos mères de Troyes seraient fières de moi. Me voilà une ménagère passable, qui manie l'aiguille, le balai et surtout... la poêle à frire avec aisance.

«Hum! Un peu trop peut-être. Enfin, passons.»

La jeune femme soupire, exaspérée. Que de choses dans sa vie quotidienne sembleraient impensables à sa paisible compagne.

Jeanne relit ce qu'elle a écrit et fronce les sourcils.

«Il serait temps que je décrive un peu mon existence, et que je me fasse valoir. Sinon, Marie ne me reconnaîtra pas.»

La plume court sur le papier.

La neige nous a isolés pendant des mois, enfermés pendant des jours entiers. Simon chassait, tendait des collets, recueillait des fourrures. J'en ai fabriqué des vêtements chauds, sous la direction d'une Indienne, et les petits rentraient avec des joues roses de froid. Je me suis habituée à vivre avec un mousquet sur l'épaule, sans jamais m'éloigner plus de cent pieds de la maison. J'ai appris des choses essentielles qu'on ne nous a pas montrées au couvent: confectionner des raquettes et des mocassins, faire de la bière d'épinette pour combattre le scorbut, bouillir des racines contre la fièvre et frotter le nez avec de la neige pour le dégeler. Je sais préparer le pemmican et allumer un feu de bois vert, tanner une peau et recueillir le miel sauvage.

Je suis devenue une guérisseuse qu'on vient chercher de très loin. C'est ma façon de remercier pour ce que j'ai reçu de la vie.

«C'est aussi une excellente manière de me procurer des denrées rares, mais si je le dis, j'aurai l'air mercantile.»

Nous avons eu froid et faim aussi. Les Iroquois nous ont terrorisés. Mais pour la première fois de ma vie, je suis heureuse, épanouie, utile et il faut bien le dire... amoureuse.

Mon trousseau est éparpillé à tous les vents. Je me suis fabriqué une robe à la huronne, en cuir souple. Je chausse toujours des mocassins. Ma peau s'est bronzée, ma figure arrondie et mes yeux brillent. Dans l'eau de la rivière, je me trouve presque jolie. Simon m'appelle sa loutre lorsqu'il caresse mes cheveux.

L'écrivain se surprend à rêver, le sourire aux lèvres. Elle se secoue et reprend son épître.

Notre Fille est née au printemps, sous une tente de peaux. Elle s'appelle Honorine, en souvenir de mon aïeul. Elle a les yeux verts, comme ceux de son père.

Jeanne soupire, Marie ne peut deviner comme il est difficile de tenir tête à des yeux verts. Il faut en être entouré pour le savoir.

«Ce serait prématuré d'annoncer que notre prochain fils se nommera Jocelyn et le troisième Thierry.»

Quand nous aurons une autre fille, elle sera baptisée Marie, en ton honneur.

«Et les suivantes Marguerite, Anne et Geneviève. Ah! j'ai du travail sur la planche.»

Le soleil baisse à l'horizon. Simon va surgir bientôt, son grand pas pressé, pour jeter le tumulte dans la ferme paisible et faire rougir et rire les sœurs affairées.

Il lui glissera à l'oreille, en admirant son sage bonnet blanc et son grand col immaculé:

— Madame de Rouville, vous avez grand air.

En même temps, il lui pincera la hanche ou lui serrera la taille, pendant que personne ne le remarquera.

Il faut finir cette lettre au plus vite. La plume reprend sa course, ce qui n'améliore pas l'écriture échevelée.

La vie est toujours à la merci des terribles Iroquois. Chaque année les Cinq Nations deviennent plus menaçantes. Le poids de cette échéance en écrase plusieurs et semble donner aux autres le besoin de vivre plus intensément.

Je suis de ceux-là. Je compte les heures de ma vie heureuse comme un avare son trésor.

On me dit que ton époux prospère dans le commerce de son père mais que tu désires retourner vivre en France. Où que tu ailles, Marie, ma reconnaissance t'accompagne.

Je termine ce cahier en te remerciant d'avoir fait mon bonheur.

Demain, nous retournerons à notre maison dans la forêt. C'est mon château, dans le domaine de mon seigneur. Entourée de mes enfants, j'y vivrai et j'y mourrai en Fille du Roy.

De ton amie depuis toujours et pour toujours,
Jeanne Chatel de Rouville

Il était temps. Au bout du chemin, Simon arrive. Il s'avance, Isabelle juchée sur son épaule. Nicolas, fièrement chargé du lourd mousquet, allonge ses petites jambes pour suivre son père.

On entend la voix forte qui réclame immédiatement:

— Où est votre sœur? Et qu'a fait votre remarquable mère, aujourd'hui?